바람이 전하는 말

바람이 전하는 말

•

인쇄일·2022. 1. 20.
발행일·2022. 1. 25.

지은이 | 조인순
펴낸이 | 이형식
펴낸곳 | 도서출판 문학관
등록일자 | 1988. 1. 11
등록번호 | 제10-184호
주소 | 04089 서울시 마포구 독막로 28길 34
전화 | (02)718-6810, (02)717-0840
팩스 | (02)706-2225
E-mail | mhkbook@hanmail.net

값·13,000원

ISBN 978-89-7077-643-9   03810

바람이 전하는 말

조인순 수필집

문학관books

인생의 무거운 짐을 지고도 경쾌하게 걸을 수 있는 방법이 없을까, 늘 고민했던 것 같습니다. 그 방법은 바로 글쓰기였습니다. 글쓰기로 비어있는 영혼의 방들을 가득가득 채워 가는 것이었지요.

장롱과 서랍장 속에 오랜 세월 잠들어 있는 잡동사니들을 꺼내 탈출시키듯, 마음속에 간직한 아름답고 슬프고 애잔한 추억들을 꺼내 나 자신만의 이야기를 시작하는 것이지요.

그 이야기가 세상이라는 넓고도 거대한 곳으로 여행을 시작할 때, 그 길에서 누구와 마주하게 될지, 긴장과 함께 설렘과 희망이라는 기분 좋은 씨앗이 숨어있으니까요. 새로운 만남이란 늘 그렇듯 또 다른 세계로 가는 문을 열어주기 때문이지요.

두 번째 수필집을 내면서 아이가 걸음마를 하듯 세상 속으로 한 발 더 걸어가 봅니다.

어느 가을날 서재에서

怡采 趙麟筍

| 차 례 |

둘. 마음의 풍경소리

셋. 바람이 전하는 말

넷. 불편한 동거

다섯. 혼자 떠나는 여행

하나.

그곳에 다시 서다

그곳에
다시
서다

그곳에 다시 서다

　그는 잠자리에 들면 꿈인지 생시인지 모를 어렴풋한 꿈을 꾼다. 그 꿈 때문에 하루도 편안하게 잠을 자지 못했다. 어른이 되어서도 꿈은 계속되었다. 시끌벅적한 시골 장터엔 국밥 냄새, 파전 냄새와 각종 맛있는 냄새들로 가득했다.

　그곳에 한 아이가 있다. 그 아이는 형의 손을 잡고 장날에 시장 구경을 하고 있다. 점심으로 보름달만 한 찐빵을 사 먹고, 만두도 사 먹었다. 배가 부른 아이는 형과 함께 서커스 구경을 하고 있었다. 소변이 마려워 화장실에 다녀온 아이는 형이 자리에 없다는 것을 알고 찾아 헤맨다.

　꼬마는 엉엉 울며 이곳저곳을 형을 찾아 헤매다가 무슨 생각으로 그랬는지는 알 수 없지만, 무작정 버스를 타려고 했다. 발이 잘 닿지도 않은 어린아이가 버스에 오르려고 안간힘을 쓰고 있을 때 누군가가 뒤에서 그 아이를 번쩍 들어서 올려 주었다. 버스는 그렇게 터미널을 벗어나 빠르게 질주해 갔다. 분명 그 꿈은 자신이 집을 잃어버린 날의 기억이라는 것을 알면서도 계속 같은 꿈을 꾼다.

그가 정신을 차렸을 때는 생선 냄새가 진동하는 어느 시장이었다. 배가 고파 이곳저곳을 헤매고 다닐 때 어른들이 와서 그를 데려갔다. 그곳은 부모가 없는 아이들이 모여 사는 고아원이었다. 그곳에서 그는 새로운 이름을 부여받고 초·중·고를 다녔다. 그곳이 울산이라는 것을 나중에 알았다.

고아원에서 생활은 비참했다. 명절이 되어도 갈 곳도 없고, 형들은 조금만 기분이 나쁘면 엄마 수녀님의 눈을 피해 밤이면 이불을 뒤집어 씌워놓고 그를 무자비하게 폭행했다. 폭력은 또 다른 폭력을 낳아 그도 자신보다 어린아이들을 때리며 괴롭혔다.

조금씩 머리가 크고 생각이 깊어질수록 정체성이 흔들렸다. 뿌리가 약한 나무가 바람에 끊임없이 흔들리듯, 그는 사춘기를 누구보다 힘들게 보냈다. 학교에서 고아라는 놀림을 받을 때면 반항심이 생겨 아이들을 때렸고, 선생님과 교우들의 관심도 위선 같아 싫었다. 가랑잎보다 더 낮은 자존감 때문에 뿌리가 없으니 영혼 자체가 흔들렸다. 그럴 때면 그는 늘 부모님을 원망했다. 왜 자신을 찾지 않는 것인지 원망스럽고 미웠다.

분노로 가슴이 터져버릴 것 같았다. 어느 날 그는 부모님과 세상에 대한 분노가 쌓여 고아원을 탈출해 거리를 떠돌며 배회했다. 세상은 온통 부모님의 사랑을 받으며 행복하게 보내는 아이들이 많은데, 왜 자신에게는 그 따뜻한 가정이 허락되지 않은 것인지 신을 원망하며 세상에 대한 원망을 토해냈다. 밤거리의 뒷골목을 떠돌아다니며 삶의 맨 밑바닥을 경험했다. 거리의 생활이 길어질수록 고독과 외로움도 깊어만 갔다. 어린 그에게서 삶의 희망은 점점 멀어졌다.

그는 자신의 처지가 너무도 싫어서 지랄 같고, 엿 같은 운명의 굴레를 스스로 벗어버리기로 결심했다. 미성년자인 자신이 할 수 있는 일은 오직 자신을 단죄하는 것뿐이었다. 그는 일주일 동안 약국을 돌아다니며 수면제를 사서 모았다. 빈속에 한주먹의 수면제를 한입에 털어 넣던 날, '세상이여 안녕'을 외치며 처음으로 하늘을 보고 환하게 웃었다. 이제는 더 이상 더럽고 질척한 세상과 싸우지 않아도 되고, 고아라는 열등감에 시달리지 않아도 되었다.

그런데 죽음도 쉽지가 않았다. 장자가 끊어지는 고통에 몸부림치며 게거품을 물고 데굴데굴 구르다 길에 쓰러져 있는 그를 지나가는 행인이 발견해 병원으로 옮겼다.

신은 어린 그를 순순히 데려가지 않았다. 죽음을 맛본 그 지옥을 잊지 말고 다시 살아주기를 바란 것 같다. 그는 자신의 옷 같은 인생을 다시 살아야 한다는 것이 참기 힘들어 미쳐 날뛰었다. 엄마 수녀님이 달려오고, 그는 그렇게 병원에서 꼬박 한 달을 보냈다.

우여곡절 끝에 엄마 수녀님의 설득으로 그는 고아원으로 다시 돌아가 학업을 마쳤다. 그리고 그는 다시 세상 속으로 던져졌다. 고아원은 고등학교를 마치면 그곳을 나와야 했다. 엄마 수녀님의 당부의 말도 대충 듣는 둥 마는 둥 가방을 챙겨 고아원을 나오던 날 하얗게 눈이 내렸다. 아무 데도 갈 곳이 없고, 그 누구도 반겨주지 않는 천애고아인 자신이 서럽고 불쌍했다. 자신도 모르게 눈물이 볼을 타고 흘러내렸다. 그는 손등으로 눈물을 훔치며 다짐했다. 가족을 찾아 이 서러움의 대가를 꼭 보상받고 말겠다고.

그렇게 서울로 상경해 공장에서 숙식을 해결하면서 열심히 일했다. 돈을 모아 자신의 보금자리를 마련하던 날 공장에서 함께 일하던 그녀가 화장지를 사들고 찾아왔다. 그는 결국 마음이 따뜻한 그녀와 결혼해 가정을 꾸렸다.

한 가정의 가장이 되었지만, 가슴속은 늘 허전했고, 가족에 대한 그리움도 컸다. 특히 명절날 처가에 가게 되면 더욱 그랬다. 그는 가족을 찾기 위해 별짓을 다했다. 여러 방송국에 자신의 사연을 적어 보내기도 했다. 가끔은 이상한 전화가 왔지만, 가족에 대한 소식은 없었다. 자신이 기억하는 것은 오직 해남의 어느 장터 어디라는 것, 그것이 흐릿한 기억의 전부였다.

어느 날 고아원에서 함께 자란 친구를 만나 한 잔 하게 되었다. 그 친구는 건설현장을 떠돌며 날품을 팔고 있었다. 오랜만에 만난 그들은 밤이 새도록 술을 마시며 지나간 이야기보따리를 풀어놓았다.

"상수야, 넌 부모님 안 찾냐?"

"음, 난 안 찾을 거야."

"왜?"

"모두 헛수고인 것 같아서. 생각해 봐라. 나를 고아원에 갖다 버린 부모님을 굳이 찾아서 뭐하겠냐? 너는 길을 잃어버렸지만 난 아니잖아."

그는 깊은 생각에 빠졌다. 자신은 길을 잃어 집으로 돌아가지 못했지만, 상수와 다를 게 없었다. 지금까지 부모님이 자신을 찾지 않는 것은 자신을 분명 버린 것이라고 생각했다.

이런저런 생각을 하며 술을 마시는데 술이 취하지가 않았다. 알코올이 들어간 몸은 정신이 더욱 맑았다. 그들은 술을 사 가지고 여인숙에 들어가 밤새도록 마셨다. 여인숙에서 하룻 밤을 보낸 그에게 상수가 물었다.

"현우야, 근데 너는 부모님을 왜 찾으려고 하냐?"

상수의 질문에 그는 대답을 쉽게 하지 못했다. 왜 가족을 찾으려고 안간힘을 쓰는지 그 이유를 정확히 알 수가 없었다. 자신이 누구인지 뿌리를 찾겠다는 일념인지, 아니면 그보다 다른 이유가 있는지를. 생각에 잠겨있는 그를 깨운 것은 상수의 다음 질문이었다.

"현우야, 만약에 말이야. 만약에 네가 가족을 찾았는데 네 가족이 너에게 도움이 안 되고, 짐이 된다면 그래도 가족을 찾을 거냐? 나는 내가 가족을 찾는 것을 포기한 이유가 내 한 몸도 건사하기 힘들어서. 만약에 가족까지 책임져야 한 다면 그것은 못할 것 같아서. 그래서 가족 찾는 것을 포기했 다."

그는 상수의 말에 큰 충격을 받았다. 자신이 알지 못하는 내면에 깊게 뿌리박힌 고아라는 주홍글씨를 지우고, 가족의 덕을 보며 폼 나게 잘살아보겠다는 바람이 있었기 때문이다.

그는 거기까지는 생각을 못했다. 상수의 말처럼 만약에 그렇게 그리던 가족을 만났는데 그 가족이 자신에게 도움은 못되고, 짐이 된다면 그것은 힘들 것 같았다. 자신도 살기가 어려운데 가족까지 책임져야 한다면 생각해 볼 일이었다.

그는 이런저런 생각을 하며 상수와 헤어져 아내에게 말도 안 하고 길을 떠났다. 그는 어렴풋한 기억을 잡고 그 옛날 그가 버스를 타고 떠났던 그 장터를 찾아가 보기로 했다. 서울에서 해남까지는 그리 멀지 않았다. 실로 오래간만이었다. 이곳에 오기까지 그렇게 많은 세월을 보냈다는 것이 믿어지지 않았다. 하루면 다녀갈 수 있는 거리인데 어쩌다 보니 40년이라는 세월을 흘려 보냈다. 자신은 그동안 무엇을 한 것인지 서글프고 씁쓸했다.

이곳은 장날은 아니었다. 차를 세워두고 읍내를 한 바퀴 돌아보았다. 그 옛날 자신이 떠났던 그곳에 다시 서 있었다. 차들은 쉴 새 없이 사람들을 싣고 떠남을 계속하고 있다. 그는 아련한 그 기억의 끈을 잡고 밤마다 꾸는 꿈을 정확히 들여다봤다. 그것은 꿈이 아니고, 바로 자기 자신이 집을 잃어버리던 그날의 기억에서 벗어나지 못하고 있다는 것을 알았다.

그는 무슨 생각을 하는지 한참 동안 멍하니 분주하게 오가는 버스를 바라보고 있다가 이내 발길을 돌렸다. 하루 종일 아무것도 먹지 않았는데 배가 고프지 않았다. 상수의 말처럼 자신이 가족에게 도움을 줄 수 없다면 가족을 더 이상 찾지 않기로 했다.

여유롭지는 않아도 착한 아내를 만나 예쁜 아들딸 낳고 이렇게 살면 됐지, 뿌리가 뭐가 그렇게 중요한 것인가. 인연이 닿으면 언젠가는 만나게 될 것이고, 살아서 만나지 못한다 해도 이제는 크게 후회하지 않을 것 같다는 생각을 했다. 그는 이런저런 생각을 정리하며 왔던 길을 다시 차를 몰아 달리기 시작했다.

그가 내린 뿌리가 자라고 있는 곳으로….

청혼반지

마트에 갔는데 입구에서 정장을 말끔히 차려입은 청년이 반갑게 웃으며 인사를 했다. 자세히 보니 전에 검도장을 운영할 때 다니던 관원생이다.

"관장님 안녕하세요?"

"오, 그래, 민석아, 오랜만이구나."

6살 때 검도장에 와서 초등학교 5학년까지 다녔다. 벌써 대학생이 되어 알바를 하고 있다. 코흘리개가 멋진 청년이 되어 자기 앞가림을 하는 것을 보니 옛날 생각도 나고 대견하고 반가웠다. 부모가 맞벌이를 해서 유치원이 끝나면 형이 가는 곳마다 껌딱지처럼 따라다녔다. 어느 날 녀석이 수련시간보다 일찍 와서 사무실을 기웃기웃하더니 나에게 무언가 내밀었다.

"관장님 이거요."

"이게 뭐니?"

"반지요. 관장님이랑 결혼할 거예요!"

"나랑 결혼한다고?"

"네에."

"관장님은 이미 결혼했는데."

"우리 엄마도 아빠랑 결혼했는데 나랑 한다고 했어요."

"그럼 엄마하고도 결혼하고 나하고도 또 하는 거니?"

"아뇨, 이젠 엄마랑은 안 하고, 관장님하고만 할 거예요."

녀석은 그렇게 나에게 문방구에서 파는 플라스틱에 꽃무늬
가 있는 반지를 내밀고 쑥스러운지 사무실을 후다닥 나가버
렸다. 생각지도 못한 6살짜리 아이에게 청혼반지를 받고 보
니 난감했다. 정신없이 수련시간이 끝나고 녀석도 형을 따라
돌아갔다.

어쨌든 청혼반지를 받고 보니 신경이 쓰였다. 아이들끼리
다툼이 있어도 녀석을 야단치지 않고 잘 타일렀다. 반지의 힘
이 장난이 아니었다. 40대가 6살짜리에게 청혼반지를 받았으
니 세상에 부러울 것이 없었다. 난 가끔씩 친구들한테 너희
들은 6살짜리 꼬마에게 청혼반지를 받아 봤느냐고 자랑질도

했고, 은근히 녀석의 마음이 변하지 않기를 바라며 츄파춥스 사탕을 사다 놓고 뇌물로 주기도 했다.

그러던 어느 날 사무실에서 들으니 녀석이 아이들과 싸우며 '개새끼'라고 욕을 했다. 데시벨이 점점 높아져 중재가 필요해 녀석을 사무실로 불렀다.

"민석아, 너 조금 전에 뭐라고 했어? 관장님이 들으니 친구한테 '개새끼'라고 욕하는 것 같던데 그런 욕을 어디서 배웠니? 너 그런 말 하면 입에서 벌레가 우글우글 나오는데 그래도 괜찮아? 앞으로 다시는 욕 안 한다고 관장님이랑 약속해. 그리고 친구에게 미안하다고 사과도 하고. 얼른!"

그런 일이 있고 며칠이 지나자 녀석이 "새끼개!"라고 했다. 처음 듣는 말이라 어리둥절해서 녀석을 불러 물어보았다.

"민석아, '새끼개'가 뭐니? 그게 무슨 말이야?"

그러자 녀석의 형이 기다렸다는 듯이 말했다.

"관장님이 저번에 욕하지 말라고 해서 '개새끼'를 반대로 '새끼개'라고 하는 거예요."

"뭐시라…?"

난 그날 충격을 크게 받아 한동안 정신을 차리지 못했다. 어떻게 6살짜리 어린아이 머릿속에서 그런 기발한 생각이 나올 수 있는지 감탄이 절로 나왔다. 그런 일이 있고 얼마 있다가 녀석이 나를 찾아왔다.

"관장님 그때 준 반지 주세요!"

"왜?"

"여자 친구 주려고요."

"너, 여자 친구 생겼니?"

"네."

그렇게 나는 녀석에게 선물 받은 청혼반지를 다시 빼앗기고 말았다. 녀석은 보란 듯이 여자 친구와 커플링을 나누어 끼고 검도장에 데려와 인사까지 시키고 뛰어놀았다. 나중에는 사무실에 있는 츄파춥스 사탕도 마음대로 갖다 바쳤다.

'나쁜 노므시키!'

그리고 시간이 좀 지나서 손을 보니 반지가 없었다.

"민석아, 너 반지 왜 안 꼈어?"

"그 애랑 헤어졌어요."

"왜?"

"다른 남자 친구가 생겼다고 나하고 안 논대요."

"그래…?"

그렇게 녀석은 새로 사귄 여자 친구와도 오래가지 못하고 헤어졌다. 초등학교에 들어가서는 여자 친구는 관심도 없고 운동만 열심히 하더니 2단까지 따고 그만뒀다. 그 후로 녀석을 보지 못했는데 뜻하지 않은 곳에서 만나니 반가웠다. 점심이나 사주려고 했는데 알바가 늦게 끝난다고 했다. 그냥 오려다가 장난기가 발동해 녀석에게 옛날 일을 상기시켜줬다.

"민석아, 너 예전에 관장님한테 줬던 반지 다시 주면 안 되니?"

"아이 참 관장님도!"

"왜? 안 돼? 다음에 너 장가가면 네 색시에게도 말해 줄건데. 말해도 돼지?"

"아, 몰라요!"

녀석의 얼굴이 홍당무가 되었다. 예전의 녀석은 수련시간에 쉬가 마려우면 발을 동동거렸다. 하는 수 없이 수련을 잠시 멈추고 화장실로 데려가 오줌도 누이고, 감기로 열이 나면 약을 먹여 소파에다 재우고, 체해서 배가 아프다고 울면 손도 따주고, 배도 문질러주고, 젖니가 흔들리면 이도 뽑아주고, 그랬던 그 6살짜리 꼬마가 벌써 커서 멋지고 근사한 청년이 되어 있다. 잘 자란 것 같아 쳐다만 봐도 배가 부르고 흐뭇했다.

나는 검도장을 운영할 때 철칙이 하나 있었다. 절대로 아이들 상대로 상업적으로 돈을 벌지 않겠다고 다짐했었다. 그 아이들이 맑은 영혼을 갖고 자라서 불의에 굴하지 않고 사회의 일원으로 당당하게 살아가기를 바랐기 때문이다.

아이들을 가르치다 보면 돌발 상황이 많이 일어나 항상 긴장해서 힘들 때도 있지만, 그래도 아이들한테 얻는 것이 더 많다. 그 맑고 초롱초롱한 눈을 들여다보고 있으면 힐링이 따로 없다.

폭력에서 탈출하기

　아래층에서 부부싸움을 하는지 심하게 다투는 소리가 들린다. 듣고 싶지 않아도 들어야 하는 공동주택의 단점이다. 남자의 언성이 높아지고 여자는 울음소리가 커졌다. 여자가 문을 열고 밖으로 뛰쳐나오자 남자가 뒤따라 나오며 여자를 끌고 들어갔다. '사람 살리'라는 여자의 다급한 목소리가 들린다. 걱정도 되고 어떻게 해야 할지 몰라 나가 볼까 말까 한참을 망설였다.

　어떤 경우에도 폭력은 정당화될 수 없다. 그러나 인간은 폭력으로부터 자유로울 수 없다. 사회의 규율과 법규로 폭력을 막고 있다고는 하지만, 우리들이 살아가는 사회는 오해와 질투가 도처에 널려 있어 폭력을 피하기는 어렵다.

인간은 누구에게나 폭력성이 내재해 있다는 것을 잘 알고 있기 때문이다. 아래층 부부와 같이 어쩌면 창세기에 나오는 초석적 살인을 한 '카인과 아벨'처럼 모든 폭력의 불씨는 가정에서부터 시작되는 것은 아닌지 숙고해본다.

예전에 체육관을 운영할 때 가끔 학교폭력에 시달리는 아이들이 검도를 배우러 왔고, 가정폭력, 데이트 폭력에 시달리는 여자들도 왔다. 난 그들에게 호신술을 집중적으로 가르쳤다. 그렇게 일 년 정도 호신술을 가르치면 처음에는 고개도 못 들던 아이들이 자신감이 생겨 눈빛이 살아난다.

대개 폭력에 노출된 사람들은 어른이나 아이들이나 공통점이 있는데 위축되어 자존감이 낮고, 말을 할 때 상대의 눈을 쳐다보지 못한다. 이런 사람들은 우선적으로 운동으로 몸과 마음을 단련시켜 자존감을 높여야 한다. 건강한 몸에 건강한 정신이 깃들 듯, 몸이 망가지면 마음도 망가지기 때문이다.

가족이든 그 누구든 지속적으로 괴롭히고 시비를 걸어오면 피하지 말고 싫다는 의사표시를 정확히 해야 한다. 설사 그것이 장난이라 해도 싫은 것은 싫다고 말해야 한다. 그래도 계속 괴롭히면 따끔하게 경고하고, 그래도 안 되면 그때는 정면으로 부딪쳐 다시는 무례하게 굴지 못하게 해야 한다.

모든 폭력에는 승자는 없고 패자만 있다. 왜냐하면 폭력을 쓰는 사람도, 폭력에 시달리는 사람도 모두에게 생채기가 남기는 마찬가지다. 마음이 건강한 사람이 폭력을 쓰는 경우는 드물기 때문이다. 일단 폭력과 맞서려면 똥물을 뒤집어쓸 각오가 되어 있어야 한다. 똥물의 역한 냄새가 오래가기 때문에 용기가 필요하다.

어지간하면 폭력을 가까이하지 않는 것이 좋지만, 어쩔 수 없이 폭력과 마주하게 된다면 절대로 두려워하거나 숨어서는 안 된다. 폭력을 쓰는 사람은 습관이므로 폭력 뒤에 숨으면 절대로 그 폭력에서 벗어날 수가 없기 때문이다.

어떤 폭력이든 그 폭력에서 탈출하고 싶다면 때로는 자신의 목숨을 걸어야 할 때도 있다. '너 죽고 나 살자가' 아니고, '너 죽고 나 죽자'의 자세로 목숨을 내놓고 폭력과 싸워야 한다.

아무리 힘이 세고 무자비한 사람도 집중해서 상대를 보면 허점이 보인다. 침착하게 상대의 눈을 보며 동선을 살피고, 힘으로 안 되면 머리로 싸워야 한다. 큰 나무도 결국엔 뿌리가 땅속에 있다는 것을 명심하고, 겁먹지 말고 상체보다 하체를 공격한다. 이것이 폭력에서 탈출하는 방법이다.

골든아워

방송에서 아주대 이국종 교수에 대해 떠들어댔다. 잘은 모르지만 이해관계에 관한 것 같았다. 의사는 사람의 생명을 살리는 직업이고, 병원은 이익을 남겨야 하는 뭐 그런 것이 아닐까 싶다.

그가 궁금해 그가 쓴 『골든아워』 책을 사서 읽었다. 그의 책을 읽으며 '이 사람은 잘생긴 데다 서늘한 이미지가 의사라는 직업도 잘 어울리고, 글까지 잘 쓰네.' 이런 생각을 했다. 문장이 깔끔하고 정갈했기 때문이다.

그런데 책을 읽다가 보니 이해가 갔다. 나도 김훈 작가를 좋아해 그분의 작품을 많이 읽는데, 그도 그렇다고 했다. 그래서 그렇게 글이 깔끔하구나 하고 생각했다.

말은 거짓말을 해도, 글은 거짓말을 못하듯 그의 책을 읽으며 알았다. 그는 골든아워에 대해 설명을 하면서도 짧게 자신의 속내를 보일 때가 있었다. 그는 가난한 집에서 태어나 의대를 갈 형편이 안 돼, 어쩌다 보니 친구 따라 그렇게 되었다고 한다.

그의 유년기는 아버지로 인하여 먹먹하게 보낸 것 같다. 아버지가 상이군인인데 명절이면 면사무소에서 밀가루 한 포대씩을 준다고 했다. 어머니가 그것을 받아 이고 오다가 미끄러져 밀가루 포대가 땅에 떨어졌다. 배가 터진 포대는 하얀 밀가루를 쏟아냈고, 그 밀가루를 손으로 쓸어 담는 어머니를 보고 눈물이 하염없이 흘렀다고 회상하는 부분에선 가슴이 찡하고 아렸다.

존엄한 한 인간이 세상에 태어나고 자라서, 사회의 일원으로서 당당히 자신의 몫을 하며 살아가려면 유년의 기억이 풍요롭고 아름다워야 하는데, 시대가 시대이다 보니 그의 유년도 나처럼 그늘이 많았다.

어린 시절 동네에 상이군인을 보면 무서워서 피해 다녔고, 아이들이 놀리며 돌을 던졌다. 나라를 지키다 몸이 그렇게 망가졌는데 위로는 못해주고, 그 집의 아이들까지 때리며 놀린 것을 보고도 말려주지 못했던 기억이 난다.

사람들은 누구나 그 사람의 화려한 모습만 본다. 그 화려함 뒤에 아프고 외롭고 괴롭고, 고통스러운 것들을 참고 견뎌내야만 했던 순간들은 알고 싶어 하지 않는다. 그것들을 견뎌내야만 비로소 쇼윈도에 설 수 있다는 것은 세인들은 기억하지 못한다.

　그는 꽃피는 봄이 제일 싫다고 했다. 사람들은 봄이 왔다고 꽃놀이를 가지만, 봄에는 고통사고가 많이 나고, 그 사고 때문에 생명의 촉각을 다투고 수술실에는 언제나 붉은 피로 물든다고 한다. 산과 들에는 울긋불긋한 아름다운 꽃이 피지만 수술실에는 환자가 흘린 붉은 피가 비릿한 향기를 뿜어내며 흥건히 고인 피 꽃이 핀다는 것이다.

　그렇게 힘들게 수술을 하고 살아남는 환자는 다행이지만, 수술 도중에 저세상으로 떠나가는 환자를 볼 때면 한동안 우울하고, 그래서 골든아워가 중요하다고. 그는 일을 해서 월급을 받아 생활을 하면서 그 일을 하면서 또 돈을 잃어 비루하다고 한다.

　부디 바라건대 올봄은 꽃놀이에 정신이 팔려도 아무도 다치지 말고 병원 응급실이 모두 텅텅 비어 의사들이 환자의 피 꽃 대신, 산과 들에 흐드러지게 핀 아름답고 향기로운 꽃 향기를 맡을 수 있기를 진심으로 바란다.

나쁜 놈

나는 가끔씩 골치 아픈 일이 있거나 머리가 복잡할 때는 차를 몰고 무작정 달리는 습관이 있다. 아주 심하게 화가 나는 일이 있어도 음악을 크게 틀어놓고 운전을 한다. 음악을 들으며 노래도 따라 부르고 소리도 지른다.

그 소리에 아무도 답하는 사람은 없다. 메아리처럼 나에게 다시 돌아오지만, 그렇게 고함을 지르고 나면 속이 좀 시원해진다. 가슴에 쌓아두면 울분이 생겨 일이 손에 잡히지 않는다. 때론 달려간 곳이 어딘지를 몰라 당황할 때도 있지만, 그렇게 나만의 드라이브를 즐기다 보면 마음이 한결 가벼워진다. 내가 유일하게 스트레스를 푸는 방법이다.

그날도 이런저런 생각을 하며 차를 몰아 무작정 고속로를

달리고 있었다. 길가에 아카시아 꽃이 활짝 펴있어 꽃향기가 진했다. 차 유리문을 모두 내리고 꽃향기를 맡으며 꿀꿀한 기분을 달랬다. 진한 아카시아 꽃향기는 심연까지 들어와 향기롭게 했다.

그런데 어디선가 갑자기 꿀벌 한 마리가 차 안으로 들어와 앵앵대며 날아다니기 시작했다. 벌이 달리는 차속으로 무임승차를 한 것이다. 순간 골머리 아픈 생각은 순식간에 어디론가 날아가 버리고, 차 안으로 들어온 벌을 어떻게 밖으로 내보낼 것인가 그게 문제였다.

차 문 유리를 모두 내려도 벌은 밖으로 나가지 않았다. 바람 때문인지 계속 차 뒤 유리에 부딪쳐 앵앵대며 헤딩을 했고, 다시 앞 유리로 날아와 같은 행동을 반복했다. 그렇게 한동안 왔다갔다하며 헤딩을 했다. 결국 열이 받은 벌이 죽기 살기로 앵앵대며 덤볐다. 순간 난 공황 상태가 됐다.

고속도로라 차를 세울 수도 없고, 진퇴양난이 따로 없다. 벌이 가까이 오면 손으로 쫓으며 운전을 하자니 미칠 것 같았다. 벌에 신경을 쓰느라 차가 갈지자로 갔다. 차들이 빵빵대며 지나갔고, 아찔한 순간을 몇 번 넘기고 나니 이러다 벌에 쏘여 죽는 것보다 사고가 나서 죽을 것 같았다. 무임승차한 놈 때문에 천국과 지옥을 오르락내리락하자니 나도 열이 받아 꿀벌에게 화를 버럭 냈다.

"야, 이 나쁜 놈아! 네가 멋대로 무임승차 했잖아? 나한테 왜 그래. 차비 달라고 안 할 테니까 가만히 좀 있어! 어휴 미치겠다. 정말!"

정신이 가출해 제정신이 아니었다. 별짓을 다해도 벌이 밖으로 나가지 않았다. 순간 어린 시절 아버지가 하시던 말씀이 생각났다. 말벌은 계속해서 쏘기 때문에 사람이 죽을 수도 있지만, 꿀벌은 착해서 자신을 건들지 않으면 잘 쏘지도 않고, 화가 나서 공격할 때 딱 한 번만 쏘고 죽는다고.

'그까짓 거 뭐 한 번쯤이야', 그렇게 생각하니 무섭지 않았다. 결국 난 휴게소까지 무임승차한 녀석과 함께 갈 수밖에 없었다. 차문 유리를 모두 닫고 천천히 운전했다. 얼굴만 안 쏘이기를 바라며. 그래도 벌이 얼굴 쪽으로 와서 앵앵대면 나도 모르게 반사적으로 기겁을 했다. 그러면 또다시 차는 갈 지자로 갔다.

한참을 가다 보니 순찰차가 따라붙었다. 차를 갓길에 대라고 신호를 했다. 차를 세우고 왜 그러느냐고 물었더니 차가 왔다갔다해서 음주운전 같다고 신고가 들어왔다는 것이다. 어이가 없었다. 음주가 아니고 무임승차한 놈 때문이라고 말했다. 경찰은 이해할 수 없다는 표정을 지었다. 그리고 내 차를 힐끗 쳐다보고 나서 기분 나쁠 정도로 무례하고 날카로운 시선으로 내 얼굴을 똑바로 노려보며 말했다.

"지금 장난하십니까?"

순간 난 위압감이 들긴 했지만, 무례한 경찰의 태도에 화가 나서 그들의 얼굴을 똑바로 쳐다보며 큰소리로 말했다.

"장난 아니거든요!"

다른 경찰이 내 차 안을 다시 살피더니 나와 대화 중인 경찰에게 보고하듯 말했다.

"차 안은 아무도 없지 말입니다!"

"사람이 아니고 벌이에요. 벌이 차 안으로 들어왔는데 아무리 해도 밖으로 나가지 않아서 벌을 쫓다가 그렇게 됐어요."

"벌이요…?"

"네."

그래도 경찰은 지극히 사무적이고 딱딱한 어조로 음주측정을 강요했다. 내 말을 믿는 것 같지도 않고, 계속 나를 노려봤다. 하는 수 없이 음주측정에 응할 수밖에 없었다. 결과를 확인한 경찰이 그제야 얼굴의 근육이 조금 풀리기 시작했고, 조금 전의 건조하고 딱딱한 말투는 거둬들이고 부드러워졌다.

"차 안에 벌이 있다고요?"

"네, 차 유리를 내리고 운전했는데 갑자기 차속으로 꿀벌 한 마리가 들어왔어요."

경찰들은 차량 안을 샅샅이 살폈다.

"저기요. 벌을 찾으면 다치지 않게 조심해 주세요."

경찰은 내 말에 대답도 하지 않고 한참 동안 차량 안을 뒤지더니 의자 밑에 붙어있는 꿀벌을 찾아냈다.

"찾았다. 여기 있네요."

경찰이 벌을 손바닥에 올려놓아도 기절했는지 처음엔 날아가지 않았다. 벌도 제정신이 아닌 것 같았다. 그도 그럴 것이 벌의 입장에서 보면 얼마나 놀라고 당황스러웠을까 싶다. 삶과 죽음의 경계를 왔다갔다했으니 멘붕이 되었을 것이다. 벌은 그렇게 잠시 동안 가만히 있더니 이내 정신을 차리고 자신이 사는 세계로 무사히 돌아갔다.

한바탕 난리를 치르고 돌아오는데 기가 막혀 헛웃음이 나왔다. 그 뒤로 운전할 때 차 문 유리를 잘 내리지 않는 습관이 생겼다. 그때처럼 불청객인 나쁜 놈이 또 무임승차할까 봐.

마비된 정신

주말이라 산에 사람들이 많았다. 할아버지 한 분이 산을 오르며 그냥 가지 않고 길을 정리하며 갔다. 넘어져 있는 나무는 길가로 치우고, 미끄러운 오르막은 돌을 가져다 놓고 움직이지 못하게 돌멩이로 밑을 괴고, 발로 툭툭 치며 자리를 잡도록 했다. 자갈들은 길옆으로 치우셨다. 그 할아버지가 가끔씩 길을 치우시는 것을 봤는데. 할아버지께 고맙다는 말은 하지 않았지만 덕분에 등산로가 위험하지 않아 감사했다. 이래서 세상은 살맛이 나는 건지도 모르겠다.

바로 앞에는 남자 세 명이 가고 있었다. 그중에 한 명이 계단을 올라가면서 스틱의 뾰족한 부분을 뒤로한 채 들고 갔다. 뒤따라가며 신경이 쓰여 한마디 했다.

"아저씨, 스틱의 끝을 앞으로 해야지 뒤로하면 위험하잖아요. 뒤에 오는 사람이 다칠 수도 있으니 뾰족한 부분을 앞으로 향하게 드는 거예요!"

"아, 그래요? 미안합니다. 그런데 왜 우리 마누라는 그런 것도 가르쳐주지 않고 등산을 갔다 오라고 하는 거야?"

"헐."

산정에 오르니 둘레길 정비 사업으로 인부들이 많았다. 지나가는데 그들의 이야기가 들렸다.

"우리 집은 말이야 대대로 농사꾼 출신의 집이라 난 세 살 때부터 소 뜯기고 꼴 베고 나무했어. 내가 나무를 해가지고 오면 할아버지가 그러시는 거야. [야 이놈아, 넌 까치집을 걷어 왔냐?] 어린것이 뭘 힘이 있다고, 그래도 그렇게 다져진 몸이라 이렇게 노동을 하며 밥을 먹고 있지."

"그래서 김 씨가 몸은 말랐어도 힘이 세구먼."

'뭐시라? 세 살 때부터 나무하고 꼴 베고 소 뜯겼다고? 나는 그때 동생이 먹던 엄마 젖 뺏어먹겠다고 떼쓰고 울었는데 대단하네?'

일상적 관습에 젖어 탄력을 잃은 신경, 마비된 정신을 깨우려고 안간힘을 쓰며 생각에 잠겨 산길을 가는데 난데없이 개 한 마리가 쫓아와 으르렁대며 앙칼지게 왈왈 짖어댔다. 순간 깜짝 놀라 저리 가라고 스틱으로 개를 쫓았지만 계속 짖어

불쾌했다. 뒤에 개 주인으로 보이는 아저씨가 따라오며 개를 부르기만 하고 적극적으로 말리지 않았다. 그쯤 되면 미안하다고 사과하고 개를 잡아 묶어야 하는데 실실 웃기만 했다. 어이도 없고 괘씸해 한마디 했다.

"아저씨, 개 목줄 좀 묶어가지고 다니세요! 갑자기 달려와 짖어서 놀랐잖아요!"

"우리 개는 착해서 짖기만 하고 물지는 않아요."

"아, 진짜 좀!"

개 주인에게 소리를 버럭 지르고 말았다. 내려오는데 길에서 학생들이 네댓 명이 담배를 피우며 낄낄대고 있었다. 그 찌질한 모습을 보니 그냥갈 수 없어 다정하게 한마디 했다.

"얘들아, 구름과자 맛있니?"

"…?"

"너희들 그 구름과자 많이 먹으면 뼈가 폭삭 삭는다. 뼈가 삭아 키도 안 커. 그리고 그렇게 어른처럼 보이려고 개폼 잡고 발악하지 않아도 시간은 눈 깜박할 사이에 너희들을 멋지고 근사한 남자로 만들어 준다."

"…?"

"진짜야."

검도장을 운영할 때도 비슷한 일이 있었다. 밤 10시 마지막 수련이 끝나고 12시쯤 퇴근을 하려고 지하주차장을 내려갔는데 태권도 도복에 검은 띠를 맨 덩치가 큰 고등학생 서너 명이 시시덕거리며 담배를 피우고 있었다. 순간 겁이 덜컥 났다. 늦은 밤이라 무섭기도 하고, 몸은 빠르게 마비된 정신을 깨우며 반응했다. 상대를 제압할 것인가, 제압당할 것인가를 결정해야만 했다. '썩어도 준치'라고 그래도 해동검도 관장인데 체면상 물러설 수가 없어 큰 소리로 말했다.

"너희들 뭐야!"

학생들은 뭔 참견이냐는 식으로 쳐다보며 저깟 아줌마쯤이야 하는 표정을 지으며 다가왔다. 나는 빠르게 말을 이어 갔다.

"너희들 옆 건물 태권도장 관원생이지? 나는 이 건물 4층 해동검도 관장이다. 일반인도 아니고, 태권도장 관원생이, 그것도 사회의 모범이 되어야 할 유단자가 여기서 뭐 하는 거지?"

그제야 그들은 얼굴빛이 달라졌다. 담뱃불을 끄고 나란히 서서 말했다.

"관장님 죄송합니다. 앞으로 조심하겠습니다."

다음날 그들이 자기네 관장한테 이실직고를 했는지, 태권도장 관장이 그 학생들을 데리고 검도장을 찾아와 미안하다고 사과했다.

산길

난 일을 하면서 일이 잘 풀리지 않거나 생각할 일이 생기면 휴일에는 산을 찾았다. 산길을 홀로 걸으며 한 주 동안 힘들었던 일이 있으면 무엇 때문에 힘들었는지 그 이유를 찾고, 다시 시작할 한 주를 준비하기 위해서다. 산은 이렇게 고요와 함께 내면의 안정을 가져다주었다.

집 근처에 산이 있다는 것은 큰 축복이다. 집에서 30분 정도 걸으면 모락산 초입에 들어선다. 383미터의 모락산은 크지도 작지도 않아 부담 없이 산행을 하기에는 딱 좋은 산이다. 작년에 모락산 둘레길이 완공되었다. 모락산 둘레길을 완주하려면 빠른 걸음으로 4시간이면 된다.

다른 산과 달리 모락산은 의왕시 도심 속에 위치하고 있어

주민들이 산자락 사이사이에 옹기종기 모여 산다. 어느 쪽으로 가든 길을 잃을 일은 없다. 또한 안양과 경계에 있어 안양 시민들도 많이 이용한다. 산을 찾아 멀리 갈 필요 없이 조금만 걸으면 사계절을 볼 수 있어 부자가 된 것처럼 좋다.

모락산은 벌써 연둣빛 옷을 벗고 진녹색 옷으로 갈아입었다. 돌탑과 엄지 바위가 있는 곳을 지나 정상에 오르니 산정엔 아직 밤꽃이 피어 있어 지나갈 때마다 밤꽃향이 진하게 난다. 코스모스를 닮은 노란 금계국도 몇 송이 폈다. 벌들이 금계국과 열애 중이라 앵앵댄다.

산정 옆에 자그마한 과수원이 있다. 언제부터 있었는지 잘 모르지만 내가 본 것이 거의 20년이 되어가니 그전부터 있지 않았나 생각한다. 처음에 산정에 올랐을 때 신기했다. 사람들도 올라오기 힘든데 어떻게 이런 데 과수원이 있을까 하고. 가끔 지나가면서 보면 아저씨가 과수원을 돌보고 있었다.

그런데 몇 년 전부터 잘 돌보지 않아 잡초가 무성하다. 봄이면 이곳에 복사꽃이 예쁘게 핀다. 올해도 어김없이 복사꽃이 피더니 구슬만 한 복숭아가 햇볕을 받으며 대롱대롱 매달렸다. 계절은 이렇게 빠르게 변화를 거듭한다.

지난주에 산행을 하다가 산 벚나무에서 빨갛게 익은 버찌와 산딸기를 따먹었는데 6월 하순이 지나고 있어 여름이 깊어간다. 엊그저께 꽃이 핀 것 같은데 벌써 도토리나무에 콩알만 한 도토리가 달렸다.

봄 산은 벌레들의 천국이다. 연약한 잎이 돋아날 때 종들은 번식하고, 그 잎들을 갉아먹으며 애벌레들은 성장해 성충이 된다. 새들도 그 시기에 맞게 산란한다. 벌레가 많아야 새끼들을 굶기지 않고 키울 수 있기 때문이다.

그리고 봄 산에서만 볼 수 있는 특별한 광경이 있다. 수많은 벌레들이 줄을 타고 내려오는 것을 보면 꼭 벌레 비가 내리는 것 같다. 얼마 전까지만 해도 나무 위에서 줄줄이 내려와 눈앞에서 인사를 하던 애벌레들이 보이지 않는다. 아마도 살아남은 벌레들은 성충의 모습으로 변해서 보이지 않을 수도 있다.

숲 속 여기저기서 작은 생명들의 움직임이 보인다. 어미 새는 어린 새끼들을 키워내느라 여념이 없다. 사람 사는 세상과 다를 바 없는 산속의 새들도 자식을 배부르게 먹이기 위해 어미 새들은 허리가 휜다. 산길을 가다 보면 겁이 많은 꿩들도 가끔씩 푸드덕거리는 소리가 들린다. 자식들을 보호하기 위한 몸부림이다. 그 마음을 알기에 산길을 조용히 지나왔다.

잣대

베란다를 정리하는데 오래된 테니스 라켓 하나가 툭하고 넘어진다. 너무 오래돼 손잡이가 너덜너덜했다. 오래된 사진과 사물들은 서사를 품고 있어, 별로 유쾌할 것도 없는 기억 하나가 리셋 된다.

운동이 주는 상쾌한 쾌락에 빠져 테니스와 스쿼시에 미쳐 날뛰던 시절이 있었다. 검도를 하면서도 여러 가지 운동을 많이도 했다. 그때 테니스코트에는 붉은 원피스를 입은 그녀가 있었다.

"어머, 별꼴이야. 신랑이 갔는데 자숙을 해도 시원찮은데 붉은 원피스가 뭐야?"

"그러게 미친 거 아니야? 그것도 자기 때문에 그렇게 되었는데…"

테니스코트에 그녀가 나타나면 사람들은 여기저기서 수군 거리거나 노골적으로 적대감을 드러낸다. 들리는 소문엔 그 녀는 테니스 코치와 눈이 맞았다고 한다. 그 사실을 남편이 알고 코치와 주먹다짐을 하고, 부부싸움을 심하게 했다. 그 녀가 잠시 집을 비운 사이에 남편이 분에 못 이겨 가스 줄에 목을 맸다고.

그녀는 우리 아파트 10층에 살았는데 밤늦게 운동을 마치 고 엘리베이터를 기다리고 있는데 이불에 남자 시신을 들고 구급대원과 경찰이 내려왔다. 나는 그 끔찍한 광경을 똑바로 보고 말았고, 한동안 밤늦게 운동을 가지 못했다. 사람들이 무서워하자 나중에는 동에서 돈을 걷어 엘리베이터 앞에서 살풀이굿까지 했다. 그가 그녀의 남편이었다는 사실을 나중 에 알았다.

어쩌다 그리 되었는지 부부의 속내는 다 알 수 없지만, 남 편과 함께 배우는 코치라니 좀 그렇다. 문제는 남편의 상을 치르고도 테니스코트를 찾는다는 것이다. 그것도 붉은 원피 스를 입고 테니스코트를 나비처럼 날아다닌다. 물론 코치는 그만두었다. 회원들의 성화에 더는 다닐 수가 없었을 것이다. 그녀의 이해할 수 없는 행동에 누군가 한마디 했다.

"자기 너무한 거 아니야? 좋지 않은 일로 남편이 그렇게 되었는데 자숙은 못할망정 붉은 원피스가 뭐야?"

그녀는 아무 말 없이 듣고만 있다가 돌아갔다. 나는 남의 일에 관심이 없지만 귀가 열려있어 듣고 싶지 않아도 듣게 되니 그녀의 심리가 궁금했다. 남편이 불미스러운 일로 세상을 떠났는데 굳이 붉은 원피스를 입고 다니며 튀는 행동을 해서 욕을 먹는 이유는 뭘까. 스스로 자학을 하는 것 같지는 않았다.

그나마 다행인 것은 그다음 날은 검은 원피스를 입고 왔다. 그녀는 검은 원피스를 입고 테니스코트를 훨훨 날아다녔다. 어느 날 그녀가 우연히 내 곁에 앉아 음료수를 마셨다. 그녀는 나를 힐끗 쳐다보더니 낮게 한마디 했다.

"자기도 내가 우습지?"

"…"

"난 그냥 대화 상대가 필요했을 뿐인데…"

그 뒤로 테니스코트에서 더 이상 그녀를 볼 수가 없었다. 지나가는 바람이 전하는 말에 의하면, 자살한 집이라고 소문이 나서 집을 보러 오는 사람이 없어, 집을 그냥 비워두고 이사를 갔다고 한다. 어디로 갔는지 아는 사람은 없었다.

우린 살면서 자신의 의사와 상관없이 많은 일들을 겪으며 보고 듣고 경험한다. 때론 뜻하지 않은 일에 휘말리기도 하고, 상대의 입장은 잘 알지도 못하면서 자신들의 잣대로 평가하기도 한다.

그 이유를 심리학에서는 이렇게 말한다. "사람들은 자신의 욕망을 감추고 살기에 귀신같이 남의 숨겨진 욕망을 보고 그것들을 들추어 난도질하며 쾌락을 누리고 합리화한다." 나는 과연 나의 잣대로 그녀를 평가하며 무의식적으로 마녀사냥에 동참하지는 않았는지 반성해 본다.

월동 준비

가을이 깊어 산과 들에 먹을거리로 가득하다. 논에는 벼가 누렇게 익어 고개를 숙이고 있어 바라만 봐도 배가 부르다. 밭에는 고구마순이 새까맣게 말라 있다. 된서리가 오기 전에 빨리 캐지 않으면 고구마가 얼어 먹을 수가 없다.

콩밭에는 콩이 가을 햇살에 타닥타닥 튀는 소리가 들린다. 가을걷이가 늦어지면 콩 알갱이가 스스로 외피를 벗어나 땅에 떨어지고, 그 콩들이 비를 맞고 자라 자연 콩나물이 된다. 농부의 일손이 봄에만 바쁜 게 아니고, 가을에도 바쁘다. 농작물들은 추수할 시기를 놓치면 일 년 농사가 허사이기 때문이다.

우리나라는 사계절이 뚜렷해 계절마다 먹을거리가 다르고

풍성하다. 바로 집 앞에 밤나무가 많은데 어느새 가을이 되니 밤송이가 벌어져 탐스러운 밤들을 쏟아내고 있다. 앙증맞고 반질반질한 밤톨을 지나가다 줍게 되면 기분이 좋아진다. 여름 내내 비와 바람과 태양의 노고라 자연에 감사한다.

올여름은 유난히 장마가 길었다. 오랜 장마로 가을이 오지 않을 것 같았는데, 계절은 이렇게 어떤 상황에서도 투정 한 번 부리지 않고 묵묵히 자신의 할 일을 소리 없이 다한다. 긴 장마에도 낱알들을 키워내는 것을 보면 실로 감탄이 절로 나온다.

아파트 앞 야산엔 청설모와 다람쥐가 겨울 동안 먹을 식량을 모으느라 가을걷이가 한창이다. 입이 터지게 볼에 밤을 물고 자신의 집으로 올라갔다 내려옴을 반복한다. 청설모한테 빼앗기지 않으려고 다람쥐 부부가 더 열심이다. 월동 준비를 하다가 서로 의견이 맞지 않으면 가끔 심하게 싸우기도 한다. 다람쥐들도 부부싸움을 하는 것을 보면, 그들이 사는 세상도 인간들과 별반 다를 게 없지 싶다.

볼따구니가 터져라 밤알을 물고 있는 다람쥐를 향해 하나만 달라고 손을 내미니 한참을 쳐다보고 있다가 가버린다. 주워주지는 못할망정 자신들이 힘들게 주운 밤을 하나만 달라고 하니 어이가 없겠지. 이처럼 아파트와 이웃해 사는 다람쥐와 청설모, 길고양이들은 사람들을 봐도 무서워하거나 겁먹지 않고, 도망도 안 간다.

가을은 동물뿐만 아니라 사람도 바쁘기는 마찬가지다. 우리 집도 겨울 동안 먹을 쌀이며 감자, 고구마와 양파, 늙은 호박 등이 작은 베란다에 가득 찬다. 이제 김장만 하면 월동 준비는 끝난다. 예전엔 긴긴 겨울을 보내기 위해 꼭 필요한 것은 김장 다음으로 연탄을 들여놔야 했는데, 요즘은 난방 걱정은 안 해도 되고, 김장도 안 해도 되지만, 그래도 김치는 손수 담가 먹는다.

작은 베란다에 쌓여있는 농작물이 거의 다 비워지면 봄이 오고, 또다시 먹을거리가 가득 쌓이면 추운 겨울이 온다. 사계절 덕분에 창고에 채움과 비움을 반복한다. 덩달아 마음도 창고처럼 채움과 비움을 반복한다. 창고가 가득 차면 뿌듯하고, 비워지면 홀가분하다.

천국

    따뜻한 봄날 청계사에 갔다. 절 입구에 있는 주차장에 차를 대고 바람소리 물소리를 들으며 숲길을 따라 올라갔다. 산새들이 반갑게 인사를 하듯 지저귄다. 따스한 햇살 덕분에 얼굴에 땀방울이 맺혔다. 전나무 길을 돌아 한참을 올라가니 어머니의 품처럼 아늑한 곳에 자리 잡은 청계사가 보인다.

    예전엔 청계사 가는 길은 비만 오면 흙탕물이 튀어 절을 한 번씩 가려면 좁고 구불구불한 길을 걸어갔다. 길은 좁고 불편해도 사계절이 아름다운 절이었다. 동네엔 가을이면 감나무가 많아 붉은 감이 주렁주렁 달리고, 논에는 벼가 누렇게 익어 있었다.

    요즘은 그 옛날의 운치 있고 멋스러운 풍경은 간데없고, 산

속까지 자본주의가 들어와 포장길이 잘 되어 있다. 불편하진 않지만 낭만이 사라져 아쉽기는 하다.

청계사에 도착하면 사천왕들이 서 있는 계단을 오르고 나면 바로 앞에 가파른 돌계단이 나온다. 그 돌계단을 바라보며 잠시 갈등을 하게 된다. 쉽고 편한 옆길로 돌아갈 것인지, 아니면 곧바로 가파른 돌계단을 밟고 올라갈 것인지에 대해서.

계단은 겨우 42개밖에 안 되지만 너무 가팔라 중간쯤 오르면 숨이 차고 다리가 땅겨 무거워진다. 그러면 잠시 돌계단에 서서 숨 고르기를 한다. 옆길로 돌아가면 쉽게 갈 수 있지만 왠지 그러면 안 될 것 같다는 생각이 들어서다.

힘든 돌계단을 오르며 속세의 찌든 때를 잠시나마 씻기길 바라는 마음이고, 또한 돌계단을 하나둘 힘들게 밟고 올라갈 때마다 난 또 이곳에 마음속의 짐 하나를 부리러 왔구나 하고 생각하게 된다.

계단 중간쯤 오르니 그곳에 작은 구멍에서 생쥐가 보였다. 그동안 한 번도 보지 못했는데 오늘은 생쥐가 고개를 내밀고 쳐다봤다. 나와 눈이 마주쳤는데도 생쥐는 겁먹지 않고 계속 밖으로 살금살금 나왔다. 간이 큰 생쥐였다. 아님 간이 배 밖으로 나왔거나, 그것도 아님 해탈했거나 뭐 둘 중 하나겠지

했다. 쥐는 겁이 많은 동물인데 사람을 보고도 피하지 않으니 당황스러웠다.

그리고 보니 생쥐가 사는 이곳은 천국이었다. 아침햇살이 눈부셨고, 통풍도 잘 되고, 앞이 확 트여 막힘이 없었다. 터가 좋아 해가 뜨면 햇빛이 쥐구멍 속까지 훤하게 비칠 것 같았다. 명당 중에서도 명당이라 녀석의 선견지명에 감탄사가 나왔다.

아마도 녀석은 이곳에 터를 잡고 살면서 절집의 속사정도 훤히 알고 있을 것이다. 이곳을 찾는 신도들 모두를 기억하고, 발자국 소리만 들어도 어느 신도가 무슨 사정으로 절을 찾아왔는지 알지 않을까 하는 생각을 했다.

계단이 가팔라 천적도 없을 것 같고, 절이 부자 절이라 배를 곯을 일도 없을 것 같다. 사계절 내내 아침저녁으로 스님들의 독경소리와 함께 하루를 열고 닫으니 천국이 따로 없지 싶다.

둘.

마음의 풍경소리

마음의
풍경
소리

마음의 풍경소리

꽃들이 앞 다투어 피어나는 봄날 천불천탑과 임신 설화로 유명한 운주사와 철감선사 탑이 있는 쌍봉사로 문화답사를 갔다. 고속버스에 몸을 싣고 오랜만에 집을 떠나본다. 자가운전이 몸에 배서인지, 아니면 전생에 무수리 출신이었는지 알 수 없지만, 남이 운전하는 차만 타면 멀미를 해 조마조마했는데, 다행히 걱정하는 일은 일어나지 않았다.

차창 밖으로 펼쳐진 풍경은 한마디로 경이로웠다. 온 들녘이 연둣빛으로 물들고 과수원엔 복사꽃과 배꽃이 활짝 폈다. 하얀 배꽃이 눈처럼 봄바람에 날려 참으로 아름다운 광경이 눈앞에서 펼쳐졌다. 자가운전을 할 때와는 또 다른 느낌이다.

안양에서 오전 8시 30분 차를 탔는데 광주터미널에 12시가 넘어 도착했다. 햄버거로 간단히 점심을 먹고, 운주사 가는 버스를 탔다. 버스는 시골길을 1시간이 넘게 정신없이 달렸다. 기사님이 어찌나 운전을 험하게 하는지 멀미가 나서 죽을 지경이다. 롤러코스터를 타도 이보다는 낫겠다는 생각이 든다. 집 떠나면 개고생이라더니 맞는 말이다. 운주사 입구에 도착하니 오후 2시가 넘었다. 교통이 불편해 사람들의 왕래가 뜸해 절 입구가 횡했다.

운주사 일주문에 들어서니 석불과 석탑들이 근위대처럼 서서 반겼다. 이곳은 신라 말 도선국사가 풍수지리에 근거해 '비보' 사찰로 세웠다고 전한다. 석불과 석탑은 모두 이곳에서 나는 돌이라고 한다. 근처에 채석장도 있다.

운주사에 도착하니 템플담당 스님이 기다리고 있었다. 산사엔 해가 빨리 져서 어두워지기 전에 둘러봐야 한다고 여장을 풀 시간도 없이 배낭을 메고 스님을 따라 산을 오르락내리락했더니 몸이 무거웠다. 날마다 운동을 하는데도 산에 사는 스님을 따라가기가 버거웠다. 어찌나 빠르던지 덕분에 극기 훈련을 제대로 했다.

마주 보는 와불상은 처음부터 와불로 조각한 것이 아니고, 세우지 못해 와불이 되었다는 설이 있다. 그리고 이곳은 임신 설화로 유명하기 때문에 돌부처들이 대부분 코가 없다. 아기를 갖지 못하는 여인들이 돌부처의 코를 떼어다 갈아서 물에 타 마시면 태기가 있다고 전한다. 실로 윤 씨 부인에 대한 설화가 있다.

우리가 사는 세상에는 믿거나 말거나 한 설화들이 널려있다. 사람들은 이야기를 만들어내기를 좋아하고, 고단한 삶을 버티는 방법이기도 하다. '눈 뜨고 코 베어 간다'는 속담이 여기서 유래되지는 않았을까. 돌부처가 눈을 뜨고 있는데 코를 떼어가니 말이다. 불임인 여인들이 얼마나 간절하면 돌부처의 코를 떼어다 먹었을까? 어쩌면 지금도 진행형일 수도 있다.

스님은 5시 30분에 저녁 공양 시간이라 서둘러야 한다고 했다. 날다람쥐보다 더 빠른 스님을 따라 산 이곳저곳을 뛰어다녔더니 숨도 차고 다리가 후들거렸지만, 땀 흘린 다음에 먹는 운주사의 저녁 공양 밥맛은 최고였다. 미니 뷔페로 차려진 저녁은 토속적이면서도 담백하고 정갈했다.

아닌 게 아니라 산사엔 해가 빨리 졌다. 해가 지자마자 순식간에 칠흑 같은 어둠이 내려와 한 치 앞도 보이지 않았다. 화재 때문에 밤에는 소등을 해 더욱 캄캄했다. 어두워지자 절에서 키우는 개가 쉬지 않고 컹컹대며 짖었다. 산에서 멧돼지가 내려오기 때문이라고 한다. 그 말을 들으니, 마음의 풍경소리 찾아 떠나온 여행이 조금은 두렵고 서늘했다. 다른 것은 다 참을 만한데, 어둠에 익숙하지 않아 밤에 화장실 가기가 제일 무서웠다.

산사의 밤은 너무도 길었다. 몸은 피곤한데 잠이 오지 않았다. 밤은 깊고 고요해 시각보다 청각이 예민해 별별 소리가 다 들렸다. 부엉이 울음소리와 날갯짓 소리가 들리고, 짐승들 발자국 소리가 점점 가까워지더니 문 앞을 지나갔다. 연달아 개울물 소리가 청아하게 들리고 소쩍새 울음소리도 들렸다. 가끔씩 바람도 지나가다 방문을 두드려 깜짝깜짝 놀랐다. 달빛이 내려앉은 절집 마당에 말로는 설명할 수 없는 그 무엇들이 모여 신명 나게 한바탕 살풀이춤을 추는 것 같아 나가보고 싶었지만 자신이 없어 밤새 귀만 열어두고 있었다.

운주사에서 하룻밤을 보내고, 아침 식사 후 친절하게도 무안스님이 쌍봉사까지 데려다주셨다. 쌍봉사에 들러 철감선사탑을 둘러봤다. 철감선사 승탑은 쌍봉사를 창건한 통일 신라 시대의 승려 '도윤'의 유골을 안치한 곳이다. 8각 원당형으로 되어 있는 철감선사 승탑은 매우 아름답다. 기계가 뭔지도 모르던 그 옛날 오직 석공의 손으로만 어떻게 저렇게 돌을 섬세하게 깎을 수 있었을까 하고 궁금증이 생겼다. 구름무늬

속의 용들을 자세히 보니 살아서 꿈틀거리는 것 같다. 비가 오는 날이면 용들이 나와 놀다가 철감선사 승탑 속으로 들어가 휴식을 취하고 있는 것 같다.

답사를 마치고 쌍봉사 주지스님께 차 한 잔을 얻어 마셨다. 스님의 담소를 듣느라 차 시간을 놓쳐 그곳에 계신 처사님이 일손을 멈추고 버스 타는 데까지 태워다 줬다. 고맙게도 전생에 나라를 구하지도 않았는데, 모두들 여행자에게 친절을 베풀어줘서 무사히 일정을 마치고 제자리로 돌아올 수 있었다.

항상 느끼는 것이지만, 여행을 마치고 집으로 돌아올 때면 너무 피곤해 다시는 가지 말아야지 하면서도, 어느 순간이 지나면 또 병처럼 짐을 싸게 된다. 아마도 그 이유는 여행은 나 자신을 찾아 떠나는 것이기도 하지만, 다시 제자리로 돌아오기 위한 여정이 아닌가 생각한다.

불편한 이웃

윗집에서 강아지가 몇 개월째 계속 짖어댄다. 주인이 외출만 하면 짖는다. 혼자 있기 싫다는 것인데 어쩌란 말인가. 주인이 저녁에 퇴근할 때까지 짖어대니 이 불편한 이웃 때문에 머리가 돌아버릴 것 같다.

오랫동안 소음에 시달리다 보면 이성도 가출을 해 제정신이 아니다. '저 개 확 죽어버려라.' 이렇게 무서운 생각을 하며 혼자서 중얼거린다. 우발적인 살인이 이렇게 일어날 수도 있겠구나 하고 생각하니 소름이 돋는다. 맹자가 주장하는 성선설이 반증하는 결과물이다.

관리실에 몇 번을 항의해도 결과는 같다. 살면서 남에게 민폐만 끼치지 않고 살아도 인생의 반은 성공한 삶이라고 하는데, 이 불편한 이웃은 알았다고만 하고 개선의 의지를 보이지 않는다. 여전히 하루 종일 개가 짖어댄다. 아파트에서 개가 짖으면 메아리처럼 퍼져 아파트 전체가 울린다. 그 울림을 하루 종일 듣다 보면 귀가 멍멍해 제정신이 아니다.

개가 짖을 때 호랑이 소리를 들려주면 안 짖는다고 해서 인터넷에서 호랑이 소리를 다운받아 문밖에서 들려줬는데 그때뿐이다. 호랑이가 으르렁거리는 소리를 크게 들려줘야 하는데 문밖이라 소리가 작아 효과를 못 봤다.

예전 아파트에서도 그랬다. 내 집 마련의 꿈을 이루어 10년 만에 이사한 곳에도 불편한 이웃이 있었다. 그녀는 첫 만남부터 너무도 강렬한 인상을 남겼다. 머리는 산발이고 옷은 언제 갈아입었는지도 모르게 때가 끼어 꼬질꼬질했고, 오래도록 씻지 않아 몸에서 지린내가 진동을 했다. 이사한 첫날부터 우리 집을 기웃거리며 실실 웃었다. 느낌이 안 좋았는데 그 불길한 예감은 적중했다.

악몽은 그렇게 시작되었다. 우리 아들보다 작은 아이가 한 명 있었는데 하루 종일 복도를 뛰어다니며 놀았고, 아이는 복도에다 똥과 오줌을 그대로 배설했다. 아이 엄마는 치울 생각도 하지 않았고, 복도는 하루도 똥 냄새가 안 나는 날이 없었다. 그 층에 사는 엄마들은 그것들을 치우느라 날마다 물

청소를 했다.

날이 흐리거나 비가 오는 날이면 그녀의 정신세계는 더욱 고조됐다. 차가 다니는 도로를 아들을 데리고 뛰어다녔다. 차들이 빵빵대도 아랑곳없이 소리를 지르고 춤까지 추며 놀았다. 빗속에 차들이 아슬아슬하게 피해 가는 것을 지나가다 우연히 봤는데 가슴이 철렁철렁했다. 경찰이 출동하고도 그 광경은 계속되었다.

그녀의 남편은 집에 없었고, 가끔씩 먹을 것을 사다 주고 갔다. 어느 날 그녀의 남편을 붙잡고 이야기를 해도 방법이 없었다. 들리는 소문엔 고아인 그녀의 남편은 장인 되는 사람이 자신의 딸과 결혼하는 조건으로 아파트를 사주었다고 한다. 결국 정상이 아닌 그녀와 살지 못하고 아들 하나만 낳고 집을 나가 혼자 산다고 했다.

난 그녀를 볼 때마다 늘 분노와 연민이 교차했다. 자신의 몸도 챙기지 못하는 그녀를 결혼시켜 세상에 던져놓은 그녀의 부모도 이해가 안 갔고, 어린 자식까지 그녀의 세계로 끌고 들어가게 내버려 둔 그녀의 남편도 이해가 안 갔다. 가족들이 아들이라도 좀 데려다 정상적인 훈육을 시켰으면 좋겠는데 이웃이 할 수 있는 일은 한계가 있어 그저 답답할 뿐이었다.

그러던 어느 날 같은 층에 사는 엄마들이 난리가 났다. 하얀 구더기가 복도를 바글바글 기어 다녔는데 걸음마를 막 시작한 아이들이 복도에서 놀면서 그 구더기들을 주워 먹었다는 것이다. 어디서 구더기가 나오는지 확인을 하니 그녀의 집에서 나왔다. 그녀의 집은 집이 아니고 쓰레기장이었다. 청소도 안 하고, 먹다 남은 음식도 버리지 않고 그대로 두어서 음식이 썩어 온갖 벌레와 파리 떼가 말도 못 했다. 한마디로 벌레들의 낙원이고 천국이었다. 통통하게 살이 오른 구더기가 바글바글했다.

결국 우리들은 같은 아파트에 사는 죄로 그녀의 집을 청소했고, 그다음에도 일주일에 한 번씩 돌아가며 그녀의 집을 청소해 주었다. 인내심이 바닥난 이웃들은 하나둘 이사를 가고, 우리 집도 이사를 했다.

지금은 그녀가 어떻게 사는지 알 수 없지만, 사람 사는 세상은 어디든 소음과 불편한 이웃은 존재한다. 그러나 어지간하면 도시의 아파트에서 개 짖는 소리는 안 듣고 싶다. 지금 이 시간에도 개는 여전히 컹컹거리며 짖고 있다. 가족이고 자식이라면서 왜 예의를 가르치지 않는 것인지 알 수가 없다. 결국 자식이라는 말은 허울뿐인 것 같다. 오늘도 난 이 불편한 이웃 때문에 인내심이 점점 바닥을 보이고 있다.

82년 김지영

영화 〈82년 김지영〉을 봤다. 영화를 보고 많은 사람들이 울었다고 하기에 봤는데 울 일은 없었다. 영화가 시작되자 앞 좌석과 뒷좌석에서 아주머니들이 계속 훌쩍이고 있었다. 난 그들이 왜 우는지 이해가 가지 않았다. 영화를 보는 내내 부아가 치밀었고, 밤고구마처럼 퍽퍽하고 답답해 돈이 아깝다는 생각이 들었다.

왜냐하면 내가 〈82년 김지영〉 엄마 세대이기 때문이다. 그 세대는 딸을 낳으면 '살림 밑천'이라 했다. 페미니즘 색채가 강한 언어라 듣기 거북한 말이다. 가족에게 위기가 찾아오면 언제든 희생시킬 준비가 되었다는 뜻이 아니겠는가.

전쟁이 끝나기는 했지만 너나없이 가난했고, 그놈의 얼어 죽을 남아선호사상도 뿌리가 깊었다. 지구촌 어디나 가난한 나라에선 여자들이, 아니 딸들의 고난이 심했다. 아무리 공부를 잘해도 아들이 먼저였고, 딸들은 공장 아니면 식모살이를 하며 돈을 벌어 오빠나 동생의 학비를 대고, 부모의 병원비도 댔다.

박범신 「그해 가장 길었던 하루―들길」을 보면 잘 나타나 있다. '분숙이네가 어떻게 물질적인 것을 획득했는지 딸이 공장에 들어가면 인간 대접도 못 받고, 공장에서 일하고 받은 임금으로 고향집에 논과 밭을 마련할 수 있다는 것을. 방직공장 처녀들이 실밥을 너무 먹어 생명이 병들고 있어 삶이 피폐해진다는 것을.'

물론 이 작품의 시대적 차이는 있겠지만 〈82년 김지영〉 어머니 세대와 별로 다를 것도 없다. 그 시대의 딸들은 몸과 마음이 망가지도록 가족을 위해 온갖 궂은일을 다 했다. 누이들의 희생으로 공부한 그들은 고맙다는 말은커녕 공순이고 못 배웠다고 무시하고 부끄러워했다. 가족들이 그러니 남들은 오죽했겠는가.

적어도 가족이라면 그녀들의 수고에 대해 고마워하고, 감사해야 했는데, 우리의 가족들은 그렇지 않고 희생만 강요했다. 그런 핍박을 당하면서도 그녀들은 가족들을 원망하지 않앞고, 소처럼 묵묵히 자신들의 몫을 다하며 살았다. 가끔은 가슴속에서 불덩이가 치솟기도 했지만, 그래도 그녀들은 숙명이라 여기며 살았다.

그래도 〈82년 김지영〉 세대는 살만했고 괜찮았다. 한마디로 부르주아 세대다. 그렇게 힘들게 그 시대를 살아낸 김지영의 엄마 세대는 아들 딸 구별 없이 열심히 일해 공부시켰다. 여자라고 차별하지 않고, 설움 받지 말고 떳떳이 살라고 가르쳤다.

그런데 그녀들이 힘들다고 아우성이다. 도대체 풍족한 시대를 살면서 뭐가 힘이 든다는 것인지 알 수가 없다. 힘들다는 것은 한마디로 욕심이 과하기 때문이다.

사람의 손은 두 개다. 다른 것을 움켜쥐려면 손에 들고 있는 것을 놓아야 한다. 그 진리를 모르는 사람이 있단 말인가. 결혼과 육아, 그것도 직장까지, 사람이 모두를 다 가질 수는 없다. 직장을 생각했다면 결혼과 육아문제를 심각하게 고민했어야 했다.

아버지의 손

하루 종일 봄비가 내렸다. 아직 겨울의 끝자락이라 서늘한 한기가 느껴지지만 마음만은 포근하다. 메마른 땅에도, 메마른 마음속에도 봄비가 촉촉이 내린다. 현실은 별로 달라질 것이 없는데도 봄은 이렇게 또 희망이라는 불씨를 가져왔다.

아랫집 세탁실 배관이 샌다고 우리 집 세탁실을 뜯어봐야 한다고 관리실에서 나이가 지긋한 수리공 할아버지를 모시고 왔다. 낯선 이의 뜻밖의 방문에 하루의 일상이 깨지는 순간이다. 내심 불편하고 달갑지 않지만 문을 열어주었다.

아저씨는 연세에 비해 힘도 좋고, 요령도 있어 혼자서 세탁기를 들어내고 배관을 뜯고 좁은 데서 땀을 흘리며 노장이 노고가 많았다. 소음과 연기가 집안에 가득했다. 아저씨는 들어가 있으라고 했지만, 집안에 낯선 사람이 있는데 방 안에서 편하게 있을 수가 없어 옆에서 일을 도와드렸다. 한참을 일을 하다가 아저씨 손이 도구에 살짝 베었다. 난 순간적으로 아저씨께 화를 버럭 냈다.

"아저씨! 그렇게 험한 일을 하실 때는 작업용 장갑을 끼고 하셔야지요! 장갑을 안 끼고 일을 하니 손을 다치잖아요! 우리들 모두가 힘들게 일하고 공부하는 궁극적 목적은 모두가 더 나은 삶을 실기 위함이고, 먹고살기 위해 하는 것인데 그렇게 손을 다치면 속상하고 아프잖아요. 저도 이렇게 속상한데 가족이 보면 오죽하겠어요!"

당황한 아저씨는 일손을 멈추고 멍하니 나를 한참을 바라보고 있었다. 난 잘 참은 성격인데 순간적으로 폭발을 하면 제재가 안 되는 게 흠이다. 나는 한참을 더 잔소리를 해대며 씩씩거렸다. 가만히 내 얘기를 듣고만 있던 아저씨가 작게 한마디 했다.

"장갑을 끼면 손이 둔해서 세밀한 작업을 할 수가 없어서요. 그리고 괜찮아요. 20대부터 50년을 넘게 이 일을 했더니 이젠 습관이 돼서 어지간하면 아프지도 않습니다."

"아무리 습관이 됐다고 해도 상처가 나면 아프지 어떻게 안 아파요? 다 같은 사람 손인데 아저씨 손은 뭐 철갑입니까?"

나는 그렇게 아저씨에게 버럭 화를 내고 아저씨의 다친 손바닥에 반창고를 붙여 주었다. 아저씨의 손은 성한 데가 하나도 없었다. 손 전체가 상처투성이고, 나무의 외피처럼 거칠고 단단했다. 아저씨는 고맙다는 인사를 하고 서둘러 일을 끝냈다.

어린 시절 아버지의 손은 거친 손은 아니었다. 항상 남에게 일을 지시하는 손이었고, 서예를 쓰는 손이었으며, 우리 형제들을 따뜻하게 쓰다듬는 손이었다. 언제나 아버지의 손에는 은은한 담배냄새가 났다. 나는 잠이 오지 않은 밤이면 아버지의 손을 얼굴에 대고 아버지 냄새를 맡으며 잠을 잤다.

그러나 아버지의 손이 말끔하다고 해서 고뇌와 번민이 없는 손은 아닐 것이다. 눈에 보이는 상처가 다는 아니기 때문이다. 기술자의 손이든, 학자의 손이든, 예술가의 손이든 이 세상 모든 아버지의 손은 무겁고 겁나고 외로운 손이 아닐까 싶다. 그 손에 가족의 생계가 달려 있으니 말이다.

접

    단감을 먹고 감 씨 하나를 실한 놈으로 골라 화분에 심었다. 긴 겨울잠을 잔 감 씨가 봄이 되니 쌍떡잎이 올라왔다. 그렇게 몇 년을 두었더니 제법 큰 감나무가 되었다. 베란다에 있으니 온실효과 때문에 일찍 싹이 돋아나 잎이 무성했다.

    감을 따먹을 방법을 찾아야 했다. 감나무를 그대로 두면 나무가 아무리 커도 감이 열리지 않는다. 나무의 품종 개량을 위한 방법인 다른 감나무와 접을 붙여야만 감을 따먹을 수 있다. 조개가 진주를 만들 듯 그렇게 말이다.

    물살이 거센 곳에 사는 조개들은 가끔씩 입안으로 작은 돌이나 모래알이 들어온다. 이물질이 입안으로 들어와 조개를 끊임없이 자극한다. 조개는 그 고통을 참아내며 자신의 몸과 한 몸이 되기 위해 이물질을 감싼다. 그래야만 살 수 있으니까. 그러고 나면 진주라는 보석이 만들어지는 것이다.

감나무도 그와 같아 다른 감나무와 접을 붙이지 않으면 감이 열리지 않는다. 밖에 있는 감나무 가지를 꺾어다 단감나무와 접을 붙이기로 했다. 작은 감나무 가지를 꺾어다 끝을 납작하게 깎았다. 단감나무를 상처를 내야 하는데 손이 좀 떨렸다. 단감나무가 아파할 것 같아서다. 〈식물의 정신세계〉를 보면 식물들도 위험에 처하면 공포를 느끼며 두려움에 떤다고 한다. 잘 자라는 단감나무에게 미안했지만, 그 방법 외엔 다른 방법이 없었다.

나는 일을 빠르게 진행했다. 단감나무를 쓰다듬어 안정을 시킨 다음, 커터 칼로 상처를 내고 그곳에 다듬어 놓은 다른 감나무 가지를 고정시키고 천으로 꼭 싸매 주었다. 어린 시절 본가에서 할아버지가 나무를 접붙이는 것을 봤는데 그때의 기억을 떠올리며 그대로 했다. '역시, 난 천재고, 인간은 모방의 귀재군!' 허허, 이렇게 자화자찬을 하며 마무리를 했다.

봄이 되니 접붙인 감나무 가지에서 싹이 돋기 시작했다. 잘만하면 몇 년 안에 맛있는 감을 따먹을 수 있을 것 같다. 감나무는 생채기가 난 상처를 극복하고 무럭무럭 잘도 자랐다. 정말 고통 없이는 아무것도 이루어지지 않는 것 같다.

조개가 자신의 입속에 들어온 모래를 살기 위해 감싸 안아 진주라는 아름다운 보석을 만들 듯, 감나무도 사람들이 좋아하는 달고 맛있는 감이 열리게 하려면 다른 품종의 감나무와 하나가 되어야 한다.

　제사상에 올라가는 감이 이런 과정을 거치는 것을 보고 민속학자들은 교육이라는 의미로 해석한다. 우수한 감나무 품종 개량방법이 자손에게도 그대로 적용된다고 한다. 자식을 낳아 가르치지 않고 그대로 두면 본능에만 충실하고, 사람 구실을 제대로 할 수 없다고 한다. 자손들도 이처럼 뼈를 깎는 고통으로 힘들게 교육을 시켜야만 비로소 사람 구실을 하며 살 수 있다는 뜻이다.

집의 의미

소설가 박범신은 어느 칼럼에서 집을 짓게 되었을 때 제일 먼저 생각한 것이 창문을 크게 내 집안에 햇빛이 쫙 들게 하는 것이었다고 한다. "자신이 속이 좁은 것은 너무 가난하여 좁고 어두운 곳에서 자랐기 때문이"라고.

그런데 실상 건축가들은 이런 집을 짓는 것을 반대한다. 집이란 그늘도 있어야 한다는 것이다. 만약에 달이 없고 뜨거운 태양만 밤낮으로 계속된다면 사람은 물론이고 동식물도 살 수가 없기 때문이다. 심리학자들도 말한다. 집에 창이 너무 많아 환하면 아이들이 산만하다고.

어린 시절의 집을 생각해 보면 알 것도 같다. 유년의 집은 포근함이 느껴지고 구수하고 달달한 밥 냄새가 나며 엄마가 있는 곳이다. 밖에서 놀다가도 집으로 향할 때는 정신없이 뛰어가 대문을 벌컥 열어젖히고 엄마를 먼저 불렀다. 집은 항상 빨리 가고 싶은 곳이었다.

비가 오는 날에는 밖에 나가 놀지 못해 형제들과 집에서 숨바꼭질을 했다. 광과 다락방이 있고, 사랑채도 있어 숨을 곳도 많았다. 숨어 있다가 그대로 잠들기도 했고, 부모님께 야단을 맞으며 다락방에 올라가 혼자 울기도 했었다.

성인이 돼서는 방 하나를 얻어 혼자 자취를 했기에 집이라는 개념이 없어졌다. 직장에서 하루 일과를 마치고 지친 몸을 이끌고 자취방에 들어서면 오래도록 깜박이는 형광등 불빛이 참기 힘들었다. 그 몇 초가 몇 시간씩 어둠 속에 갇혀있는 기분이었다. 아무도 반겨주지 않고, 식은 찬밥처럼 차갑고 외로운 곳이라 들어가기 싫어 친구들과 거리를 배회했다.

밤이 조금씩 깊어갈 무렵 "청소년 여러분 밤이 깊었습니다. 이제 부모님이 기다리는 집으로 돌아갑시다"란 방송이 곳곳에서 울려 퍼지고, 통금시간이 재깍재깍 다가오면, 음악다방에서는 "지금은 우리가 헤어져야 할 시간 다음에 또 만나요"란 마지막 음악이 흘러나왔다. 그 음악을 들으며 쓸쓸한 자취방으로 돌아왔다.

결혼도 단칸방으로 시작해 철새처럼 이사를 여러 번 다녔다. 아이가 태어나자 사내아이라고 집주인들이 방을 잘 빌려주지 않아 설움도 많이 받았다.

그리고 10년 만에 집을 장만했다. 이제는 그 지겨운 이삿짐을 싸지 않아도 되고, 집주인의 눈치를 보지 않아도 되었다. 뿌리내림이 시작된 것이다. 새로 산 집은 남향이라 겨울에 빛이 거실까지 들어와 환하고 따뜻하다. 덕분에 화초들도 잘 자란다.

집은 그곳에 살고 있는 사람에 따라 다른 것 같다. 집이 아무리 크고 좋아도 그 집에 살고 있는 사람이 불행하면 거기는 감옥이 될 것이고, 일간 초옥이라도 행복을 느끼며 산다면 천국이 아니겠는가.

이처럼 집이란 밝은 빛도 필요하고 어둠도 필요하다. 그리고 집은 잘 가꾸고 꾸며서 남들에게 보여주는 것이 아니다. 지친 몸을 충전하는 곳이며, 가족들의 웃음소리가 들리고, 밥 냄새가 나는 곳이 가장 좋은 집이 아닐까.

뻔뻔함

사람들은 종교가 있든 없든 삶의 굴곡이 생기면 지푸라기라도 잡는 심정으로 세상에 있는 모든 신을 찾는다. 그만큼 인간은 불완전한 존재이기 때문에 어디든 기대지 않으면 살 수가 없다. 유동적인 인간의 나약한 마음을 신에게 의지하는 것이다.

불심이 깊은 아버지는 스님들의 공부도 봐주고 토론하는 것을 좋아해 잘 걷지도 못하는 어린 딸을 데리고 절을 자주 찾았다. 가도 가도 끝도 없는 꼬불꼬불한 산길을 따라 걷다 보면 다리도 아프고 배도 고파 칭얼대는 어린 딸을 품에 안고 갔다. 그렇게 나의 의사와는 상관없이 불교는 어느새 나의 신앙이 되어 있었다.

그런데 어린 시절엔 크리스마스이브 때만 되면 유다가 예수님을 배신하듯, 부처님을 배신하고 사탕과 과자를 많이 준다는 친구의 꼬임에 넘어가 교회에 갔다. 뇌물에 현혹되어 목사님이 시키는 대로 하느님께 기도를 열심히 했다.

그리고 젊은 날에는 친구가 성당에서 결혼식을 올리는 것을 보고, 근사하고 뭔가 있어 보여 성당에 갔다. 세례를 받지 않으면 미사포를 쓸 수 없다고 해 수녀님이 가르쳐준 대로 성경공부를 열심히 해서 아녜스라는 세례명도 받고, 견진성사도 받았다.

그렇게 종교순회를 다니면서 여린 마음에 무슨 일이 생기기만 하면 모태신앙을 멀리하고 다른 종교를 믿어서 그러나 하는 생각에 불안하기도 했었다.

우여곡절 끝에 다시 모태신앙으로 돌아와 일이 잘 풀리지 않을 때면 절을 찾아 부처님께 죽어라 절만 했다. 막상 기도를 하려니 부처님께 검은 속내를 들킬 것 같아 민망하고 부끄러웠다.

그런데 절집을 드나들면서 양심이라는 놈이 출장을 갔는지 조금씩 뻔뻔스러워졌다. 부처님께 아무것도 맡겨놓지도 않고 뭘 달라고 맨날 졸라댔다. 로또도 가뭄에 콩 나듯 사면서 1등이 되게 해달라고 조르고, 아니면 2등이라도 좋다고 때로는 협상까지 했다. 부처님을 빚쟁이 취급했다. 뻔뻔함이 하늘을 찔렀다. 유년의 그 해맑고 순수한 마음은 어디로 가고, 양심에 검은 때가 덕지덕지 껴서 천박하고 역겨웠다.

굴뚝새가 둥지를 틀 때 필요한 것은 단지 나뭇가지 하나면 되고, 새들은 날아가다 목이 마르면 강에 내려와 마음껏 물을 마실 수 있으면 되듯, 설사 로또가 1등이 된다고 해도 지금보다 더 행복해진다는 보장도 없고, 또한 돈이 많다고 하루에 열 끼를 먹는 것도 아닌데, 사대육신이 멀쩡한 것만도 축복인데 욕심이 너무 과하다는 생각이 들었다.

길동무

하늘이 구슬처럼 맑은 가을 어느 날, 꿀꿀한 기분을 누르고 몸을 혹사시킬 요량으로 안양천 길을 따라 무작정 걸었다. 요 며칠째 반갑지 않은 손님인 불면증이 밤마다 찾아와 밤새 놀자고 해서 잠을 제대로 못 잤기 때문이다.

밤에 잠을 자는 방법은 첫째는 몸을 혹사시키는 것이고, 둘째는 아침 일찍 일어나 해가 뜨는 것을 보고 해와 눈 맞춤을 하는 것이다. 그렇게 일주일 정도 해와 눈을 맞추면 몸의 시계가 변해 밤에 잠을 잘 잔다. 난 몸을 혹사시키기로 결정했다. 그 방법이 효과가 더 빠르기 때문이다.

예전의 안양천은 꿀꿀하고 역겨운 냄새를 풍기며 비만 오면 천이 넘쳐 주변이 온통 물바다로 변했는데 요즘은 아니다. 안양천 주변 환경이 몰라보게 깨끗하게 변했고, 보행과 자전거 도로와 간이 화장실, 그리고 걷다가 쉬어갈 수 있도록 벤치까지 조성되어 있다.

환골탈태를 한 안양천은 이젠 맑은 물이 흐르고 야생동물들의 안식처가 되었다. 모두가 자연을 사랑하는 시민들의 수고 덕분이다. 지나가며 보니 오리며 왜가리, 백로까지 보였다. 천에는 커다란 물고기도 많았다. 먹이가 풍부하니 철새들이 찾아오는 것이다.

가을이 여기저기를 만지고 다녀서 길가에 나무들은 거의 낙엽들이 떨어졌다. 가을이 벌써 자신의 일을 끝내고 떠나려고 짐을 챙기는 중이다. 계절의 시계는 이처럼 어김없이 흘러 또 한 번의 가을을 갈무리하고 있었다.

보행의 묘미는 낮은 자세로 겸손을 배우는 것이다. 걷는 동안 지나가는 장소에 대해 모든 것을 조사하고 기록한다. 몸의 오감을 자극해 앞서간 사람들이 남기고 간 이야기에 집중한다. 길은 끝도 없이 넓고 큰 도서관이기 때문에 수많은 이야기가 숨어 있다.

한 시간 가량 걸으니 두물머리처럼 안양천과 학의천이 만나는 곳이 나왔다. 아마도 두 물줄기는 여기서 만나 한강을 향해 흘러가는 것 같다. 긴 여정의 길에 친구가 있어 외롭지는 않겠다는 생각이 든다. 아프리카 속담처럼 '빨리 가려면 혼자 가고, 멀리 가려면 함께 가라' 했는데 두 물줄기는 서로 어우러져 길동무 되어 먼 바다를 향해 조잘조잘 이야기를 나누며 흘러갈 것이다.

백운호수를 가기 위해 학의천 길로 접어들었다. 학의천 길은 비포장 길과 포장길로 나누어졌는데, 비포장 길이 인적이 뜸해 그곳으로 발길을 돌렸다. 길은 안양천길보다 운치가 있다. 스쳐가는 사물들이 말을 걸어온다. 나뭇가지가 내 머리를 쓰다듬더니 이내 멀어져 간다. 길가에 억새와 갈대꽃이 서걱거리며 바람과 열애 중이다. 시들어버린 붓꽃 줄기 밑에도 작은 물고기들이 옹기종기 모여 가을 햇볕을 쬐고 있다.

길을 따라 걷는데 표지판에 "뱀 조심"이란 팻말이 여기저기 보인다. 얼마나 뱀이 많으면 이런 팻말을 세워놨을까 하는 생각을 하면서도 수풀 가까이 가서 물을 들여다봤다. 그런데 갑자기 스르륵 거리는 소리가 들려 뱀인가 해서 깜짝 놀랐다. 가을 뱀은 독이 올라 더욱 조심해야 한다. 기어 다니는 것들은 왜 그렇게 모두가 징그러운지 어지간하면 가까이하고 싶지 않다.

차량을 운전하며 다닐 때와는 또 다른 느낌이다. 이번 기회에 내가 살고 있는 도시의 민낯을 구석구석 돌아볼 생각이다. 학의천 길은 생각보다 멀었다. 비포장도로를 한참을 걸으니 발바닥이 물집이 생겨 아팠다. 다리 밑을 지나갈 때는 환한 대낮인데도 조금 서늘했다. 으슥해서 여자가 밤에 혼자 걸으면 무섭겠다는 생각을 했다. 사람들이 비포장도로를 다니지 않는 이유가 이런 이유인 것 같다.

조금 더 걸으니 백운호수 팻말이 보였다. 백운호수에서 잠시 쉬었다가 물을 마시고 다시 백운호수 둘레길을 걸으려니 다리가 움직이지 않았다. 안양천과 학의천을 돌아 여기까지 왔는데 그냥 가기가 아쉬웠다. 당기고 아픈 다리를 살살 달래서 백운호수를 돌아 곳곳에 발자국을 남기고 모락터널을 지나왔다.

빠른 걸음으로 5시간을 걸었더니 몸이 장난이 아니다. 산보다 평지를 걷는 것이 더 힘든 것 같다. 종아리가 빳빳하게 굳어 걸을 때마다 통증이 느껴졌다. 덕분에 오늘 밤은 정신 없이 나가떨어져 누가 업어가도 모르고 꿀잠을 잘 것 같다.

밤과 대추

　아버지 기일을 맞아 오빠네 갔다. 원래 제사는 밤 12시에 지냈는데 요즘은 아니다. 제사 시간이 점점 빨라지고 있다. 조카들이 직장인이라 빨리 쉬어야 한다고.

　나는 좀 고지식해서 제사를 제대로 지내던지 제대로 지내지 않을 것이면 아예 지내지 말자에 한 표지만, 어쨌든 바쁜 현대를 살아가는 후손들이 그렇게 하겠다는데 조상님들도 별수 없지 싶다.

　난 습관처럼 제사가 끝나면 항상 밤과 대추를 먼저 먹는다. 이유는 알 수 없지만 어린 시절 할아버지는 제사가 끝나면 밤과 대추를 하나씩 집어서 입에 넣어 주셨다. 시제가 있어 문중에 가시면 밤과 대추를 두루마기 주머니에 넣어가지고 오셔서 주셨다. 가끔은 밤과 대추에 담뱃재가 묻어 있기도 했는데 그냥 담뱃재를 털어내고 먹었다. 아마도 그 기억 때문에 그런 습관이 생기지 않았나 싶다.

밤과 대추는 조상의 제상에 올라가고, 신부의 치마폭에도 던져지기 때문에 귀한 몸이다. 고맙게도 이 귀한 몸을 부족함 없이 언제든지 먹고 자랐다. 보관법이 별로 없던 예전에는 대추는 햇볕에 말려 보관하고, 밤은 송이채 모래에 재를 섞어 땅에 묻어 놓았다가 겨울 내내 꺼내서 군밤을 구워 먹었다.

봄이 되어 모든 나무가 싹이 나지만 대추나무는 가장 늦게 싹이 난다. 성격이 급한 사람은 겨울에 얼어 죽은 줄 알고 대추나무를 잘라버리기도 한다. 제일 늦게 순이 나도 아주 옹골진 녀석이라 대추나무는 절대로 헛꽃을 피우지 않는다. 꽃 하나가 피면 반드시 열매 하나가 꼭 열린다. 그래서 폐백 할 때나 제사상에 자손 번창의 의미로 빠지지 않고 지금까지 그 자리를 지키고 있다.

밤나무 역시 나무가 자라도 나무 밑동에 생밤이 썩지 않고 그대로 있다. 진짜로 산에 작은 밤나무를 파보면 밑동에 생밤이 그대로 달려있다. 그래서 밤은 조상과 후손을 이어주는 연결고리를 뜻함으로 제상에도 올라가고, 신부의 치마폭에도 빠지지 않고 던져준다.

감자와 고구마

낮이 가장 긴 하지가 지나자 여름의 선물인 하지감자가 시장에 나왔다. 감자를 좋아해 매년 한 박스씩 산다. 감자가 배달돼 오자마자 오븐에 구웠다. 노릇노릇하게 익은 감자가 맛있는 냄새가 났다. 포슬포슬한 감자를 한입 베어 무니 오감을 자극해 행복바이러스가 온몸에 퍼진다.

'음, 맛있어. 이 맛이야!'

예전에 고향집에선 여름밤에 저녁을 먹고 나면 아버지는 마당에 모깃불을 피워놓았다. 매캐한 모깃불 연기를 맡으며 평상에 가족들이 빙 둘러앉아 있으면 할머니의 옛날이야기가 시작된다. 언니는 모깃불 속에 감자를 넣어 두었다가 익으면 꺼내 주곤 했다. 뜨거운 감자를 호호 불어가며 먹었는데 참 맛있었다. 감자를 먹는 우리에게 할머니가 말씀하셨다.

"다음에 크면 감자 같은 사람이 되지 말고, 꼭 고구마 같은 사람이 되어야 한다."

"할머니, 감자가 이렇게 맛있는데 왜 감자 같은 사람이 되면 안 돼?"

"으음, 그것은 말이다. 감자는 하나가 썩으면 그곳에 있는 모든 감자를 다 썩게 하지만, 고구마는 썩어도 혼자만 썩는단다. 사람은 그런 사람이 되어야 한단다."

할머니가 감자와 고구마의 성분을 정확히 알고 하신 말씀은 아닐 것이다. 살면서 얻은 경험을 손녀에게 말씀하신 것이겠지 싶다. 삶의 철학이 배어있는 말이다.

까맣게 잊고 있다가 감자 먹을 때만 되면 문득 할머니가 하신 말씀이 생각난다. '나는 과연 지금까지 살면서 감자 같은 사람일까? 고구마 같은 사람일까?' 하고. 다만 고구마 같은 사람은 못 되더라도 감자 같은 사람은 되지 말자가 나의 삶의 방식이니 이 정도면 잘 살고 있는 것 같다.

어쨌든 감자는 안데스 산맥에서 잉카인들의 식량이었고, 그 후에 스페인 사람들에 의해 유럽과 전 세계로 퍼져나갔다. 뿌리가 땅속에 묻혀있어 유럽에서는 악마의 식물이라고 배척했지만, 기근이 들었을 땐 식량 대용이 되었고, 우리나라에는 순조 때 들어왔다고 한다.

봄에 얼었던 땅이 녹아 감자처럼 포슬포슬해지면 씨감자를 잘라 짚을 태운 재를 묻혀 심는다. 잘린 부분이 부패되지 않도록 살균처리를 하는 것이다. 여름이 깊어갈 때쯤 감자 꽃이 핀다. 자주색 감자는 자주색 꽃이 피고, 흰 감자는 흰색 꽃이 핀다. 고구마도 마찬가지다. 하얀 감자 꽃이 피면 여름이 깊다. 쌀이 귀한 여름이면 보리밥에 감자를 얹어 감자밥도 해 먹고, 들에서 일하는 일꾼들 새참으로도 먹었다.

셋.

바람이 전하는 말

바람이
전하는
말

바람이 전하는 말

　방송에서 잊을 만하면 가정폭력에 시달리는 아이들에 대해 떠들어 댄다. 뉴스를 접할 때마다 가슴이 아프고 먹먹하다. 아이들에게는 부모의 존재는 큰 산이며 든든한 울타리다. 세상의 온갖 풍파를 다 막아줄 것이라 믿고 의지하는 부모라는 사람들이 어찌 그런 짓을 할 수 있을까?

　내 어릴 적 동무도 가난한 집의 장남인데 늘 가정폭력에 시달렸다. 그의 아버지가 술주정뱅이에다 폭력을 일삼았고, 가족들을 돌보지 않았다. 영혼이 피폐하고 슬픈 그는 웃는 날보다 우는 날이 더 많았다. 몸은 나이보다 작고 왜소했다. 정서가 불안정해 작은 소리에도 깜짝깜짝 놀라고 늘 주눅이 들어 고개도 제대로 들지 못했다.

학교 가는 날보다 일하는 날이 더 많았고, 아버지한테 맞아 온몸이 멍투성이였다. 한겨울에 양말도 안 신고 맨발로 지게를 지고 나무를 하고 동생들도 챙겨야 했다. 집이 가난해 굶기를 밥 먹듯 했다. 그의 어머니가 힘들게 날품을 팔아 겨우 생계를 이어갔지만, 그의 형제들은 항상 배가 고파 허기에 시달렸다. 동네 사람들은 늘 말했다.

"귀신은 뭐하는지 몰러. 저런 인간을 안 잡아가고. 대복이 엄니 불쌍해서 워쩌."

그의 아버지가 약주를 마시는 날이면 동네가 시끌시끌했다. 술이 깰 때까지 동네가 떠나가라 고래고래 소리를 질렀고, 만나는 사람들마다 시비를 걸었다. 그렇게 동네를 발칵 뒤집어 놓고도 분이 풀리지 않아 집에 가서 살림살이를 부수고 가족들을 닥치는 대로 폭행했다. 그는 가끔씩 아버지의 폭행을 피해 동생들을 데리고 우리 집으로 도망을 와 밤을 보내고 가기도 했다.

그러던 어느 날 그는 아버지 심부름으로 막걸리를 받아오다가 우리 집에 들러 쥐약이 있으면 달라고 했다. 쥐를 잡으려고 달라는 줄 알고 집에 있는 쥐약을 챙겨줬다. 그런데 쥐약을 받자마자 주전자 뚜껑을 열고 막걸리에다 전부 쏟아 부었다. 순간 나는 깜짝 놀랐다.

"야, 대복아. 니 미친 나? 쥐약을 와 막걸리에다 타고 그라노?"

"울 아부지 이거 묵고 죽으라꼬. 안 그라믄 울 어무니랑 동상들 다 맞아 죽는다."

나는 너무 놀라 발을 동동거리며 울 언니와 오빠를 소리쳐 불렀다. 그리고 방금 전에 그가 한 행동을 일러바쳤다. 울 오빠는 그의 손에서 강제로 주전자를 빼앗아 막걸리를 땅에 쏟아버렸다. 주전자 속 막걸리는 쥐약과 혼합돼 어느새 진한 보라색으로 변해있었다. 우리는 너무 무서워 변해버린 막걸리 색을 바라보며 한참을 오들오들 떨며 제정신이 아니었다.

바람을 심은 자는 태풍을 거둔다고 했다. 가정폭력에 시달리던 어린 아들은 맞아 죽지 않으려고 아버지가 마시는 막걸리에다 쥐약을 탔다. 얼마나 끔찍한 일인가. 태어나자마자 천국보다는 지옥을 먼저 경험한 그는 하늘이 맺어준 천륜이라는 고리를 그렇게 끊어내고자 안간힘을 썼다. 오직 살고자 하는 본능에 의해 자신이 한 행동이 정확히 무엇을 의미하는지도 모른 채.

그 뒤로 그는 죄책감 때문인지 어느 날 집을 나가 오래도록 소식이 없었다. 어디로 갔는지, 살아 있는지 아는 사람이 아무도 없었다. 그가 집을 나간 뒤로도 그의 아버지는 여전히 술주정을 하며 어머니와 남겨진 동생들을 폭행하고 살림살이를 부쉈다. 난 차마 막걸리 사건을 그의 어머니에게 말하지 못했다.

뉴스에서 아이들이 가정폭력에 시달린다는 안타까운 뉴스를 접할 때마다 난 내 어릴 적 동무를 생각한다. 어린것이 얼마나 힘들고 고통스러웠으면 그런 무서운 생각을 했을까 하고. 그런데 얼마 전 바람이 전하는 말에 의하면 그의 아버지는 예전과 똑같은 삶을 살고 있는데, 불쌍한 내 동무는 이미 이 세상 사람이 아니라고 한다.

얼마나 세상 살기가 힘들었으면 젊은 나이에 부모보다 먼저 세상을 떠났을까. 이럴 땐 세상이 불공평한 것 같고, 신도 없는 것 같다. 황천길 가는 길은 순서가 없긴 하지만, 이런 경우엔 순서대로 가야 하지 않나 뭐 그런 생각이 든다.

세상이 바뀌어도 예나 지금이나 여전히 내 동무처럼 가정폭력에 시달리는 아이들은 줄지 않고 늘어만 간다. 결국, 폭력을 이기지 못하고 세상과 작별하는 아이들도 많다. 이유가 뭘까? 아마도 그것은 부모가 될 준비가 안 된 사람들이 너무도 쉽게 부모가 되기 때문이다. 어린이 인권에선 '모든 어린이는 호보 받을 권리가 있다'고 하지만 말뿐이고 현실은 그렇지가 않다.

인간은 식물이 아니기 때문에 토양과 물, 햇빛만 있으면 저절로 자라 열매를 맺지 못한다. 그러므로 부모는 자식을 낳으면 한 사람의 독립된 인격체로서 길러낼 의무가 있고, 세상에 대한 책임도 져야 한다. 좋은 부모가 될 자신이 없으면 함부로 자식을 낳으면 안 된다.

　이 세상에 태어나고 싶어서 태어난 자식은 없다. 부모는 자식을 선택할 수 있지만, 자식은 부모를 선택할 수 없기 때문이다. 상습적으로 가정폭력에 시달리는 아이들은 정서가 불안정해 성인이 되어서도 안정된 삶을 살기가 어렵다고 심리학자들은 전한다.

　바라건대 지난날 내 동무처럼 더 이상 어린 영혼들이 가정폭력에 시달리며 불행하고 쓸쓸한 나날을 보내지 않기를 바라며, 내 동무가 그곳에서 부디 편히 잠들기를 바란다.

고통

캄캄한 터널에서 죽음의 공포가 엄습할 때 어디선가 한줄기 빛이 비친다면, 우리들 모두는 그곳으로 발길을 돌릴 것이다. 사람은 살고자 하는 욕망이 무엇보다 강하기 때문이다. 그래서 우리들은 그것을 희망이라고 말한다. 작년과 함께 올해도 여전히 온 세계는 역병으로 지뢰밭이고 암흑세계인데도 벌써 봄이 오고 있다. 전국 곳곳에서 꽃소식을 전해온다.

죽음의 공포란 사람의 피를 말린다. 단 한 사람이라도 죽음에서 돌아온 사람이 있고, 그곳이 그렇게 두렵고 무서운 곳만은 아니라고 한 마디만 해준다면, 모두들 그렇게 죽음을 두려워하지는 않을 것이다. 한번 가면 영원히 아무도 돌아오지 않으니 미지의 세계에 대한 두려움에 더욱 공포를 느끼는 것이다.

사회적 거리두기가 연일 이어지고 있어 스트레스가 극에 달한 사람들이 조금씩 움직인다. 모두가 두려움에 떨며 두문불출하고 있지만, 지쳐가고 있기 때문이다. 일 년이 넘어가자 사람들이 공포에 면역이 생겨 감각이 둔해지는 것 같다.

아들은 오늘도 엄마 걱정을 한다. 어지간하면 밖에 나가지 말라고 신신당부를 한다. 엄마가 아프면 어떻게 하느냐고, 갑자기 손발이 꽁꽁 묶인 느낌이다. 만물의 영장이라는 인간이 눈에 보이지도 않는 작은 바이러스 때문에 벌벌 떨고 있으니 어찌해야 할지 막막하다.

여행을 즐기는 사람들은 우울증이 생겼다고 한다. 하기야 잘 나가지 않는 나도 집에만 있으니 우울증이 오려고 하는데 자유롭게 다니던 사람들은 오죽할까 싶다. 그래도 위로가 될지는 모르겠지만, 혼자서 외롭게 겪는 고통이 아니고, 다 같이 함께 겪는 고통이라 조금은 위안이 된다.

어쨌든 전 세계가 난리가 아니다. 모두가 대문을 걸어 잠그고 문단속을 하고 있다. 그래도 역병은 쉽게 물러갈 기미가 보이지 않는다. 백신이 나와 희망이 보이지만, 마스크를 쓰지 않았던 예전으로 돌아가기는 쉽지 않다고 전문가들은 말한다. 갈수록 좋은 세상과 멀어지는 것 같아 후손에게 미안한 생각이 든다.

어수선한 세상과는 달리 계절은 자신의 몫을 충실히 해낸다. 그렇게 춥고 냉기를 뿜어내던 겨울이 가고 꽃피는 춘삼월이다. 남녘에서 전해오는 홍매화를 보니 봄나들이가 가고 싶어진다. 섬진강의 차가운 강바람도 맞고 싶고, 매화향도 그립다.

베란다에 군자란이 주황색 꽃망울을 터트렸다. 겨울 내내 춥고 매서운 냉기를 참아내고 꽃이 활짝 폈다. 덕분에 칙칙했던 집안이 환해지고, 마음도 한결 밝아졌다.

군자란은 따뜻한 데 두면 봄에 꽃을 피우지 않는다. 추운 데 있어야 꽃을 피운다. 그러고 보면 사람이나 식물이나 모두가 삶과 죽음의 경계에서 고통스러운 시련을 겪을 만큼 겪고, 참을 만큼 참아야 비로소 성숙해지고 더 깊어지는 것 같다.

병든 왕과 건강한 거지

가을이 인사도 없이 가버린 날, 어제저녁부터 굶고 건강검진을 받으러 갔다. 병원은 사람들로 붐볐다. 간호사는 내게 살아온 날이 많은 만큼 기재할 사항도 많다고 일찍 오라고 했다. 아닌 게 아니라 문진표가 꽤 많았다. 깨알 같은 문진표를 꼼꼼히 작성했다.

병원에 오면 몸이 자동으로 로봇이 되고, 말을 잘 듣는 착한 어린이가 된다. 체중과 키를 재고 팔뚝을 걷어 올리고 혈관을 찾아 주사기를 꽂았다. 금속의 차가운 느낌이 심장까지 박히는 것 같다. 주사기로 검붉은 피를 많이도 뽑았다. 전에는 피 뽑는 것을 쳐다보지 못했는데 요즘은 똑바로 본다. 내면이 단단해진 것인지, 아니면 내가 엽기적으로 변했는지는 알 수가 없다.

"따끔합니다. 조금만 참으세요."

"뭔 피를 그렇게 많이 뽑나요?"

"검사할 게 많아서요."

피를 뽑은 다음 가슴 엑스레이를 찍었다. 난 가슴 엑스레이를 찍을 때마다 너무 고통스러워 비명을 질렀다. 작은 가슴을 잡아당겨 기계로 누르고 사진을 찍기 때문에 아파서 죽을 것 같다. 가슴 사진을 아프지 않게 찍는 방법은 없는 것인가? 그 점은 의료기를 만드는 분들이 고려해주었으면 좋겠다.

위 내시경을 할 때는 눈물이 자동으로 줄줄 나왔다. 의사는 조금만 참으라고 하지만, 비위가 약한 나는 헛구역질이 나고 무서운 것은 어쩔 수가 없다. 고문도 그런 고문이 없었다. 예약까지 하면서 돈 줄 테니 제발 고문 좀 해달라고 사정한 셈이니 할 말이 없다.

머리 쪽으로 가는 경동맥 초음파 검사도 했다. 난 드라마에서 사람들이 열 받으면 뒷목을 잡고 쓰러지는 것을 보고 목 뒤에서 검사를 하는 줄 알았는데, 귀밑에서 했다. 그제야 영화에서 드라큘라들이 사람의 목을 옆에서 무는 이유를 알았다. 의사는 경동맥은 깨끗하니 걱정 말라고 했다.

모든 검사가 끝났을 때 의사는 내게 신체 나이는 53세인데 뼈의 나이는 80대라고 했다. 골다공증이 심하다는 말이다. 뼈가 안 좋으니 넘어짐과 부딪힘을 조심하고, 무거운 물건도 들지 말라고 했다. 다시 골다공증 약도 먹어야 한다고. 난 새 가슴이 되었다. 보내버린 세월만큼 내면이 단단해지면 좋겠는데 그렇지가 못하다.

만약에 신이 나의 신체 중에 하나를 가져가야 한다고, 마음대로 아무거나 하나를 내놓으라고 한다면 무엇을 줄 것인가 생각해 보았다. 몸의 어느 것 하나 소중하지 않은 것이 없으므로 신께 내놓을 것이 없는데, 이제는 하나둘 고장이 난다.

늙음은 곧 건강하지 못한 몸을 갖는다는 의미다. 몸이 건강하지 못하면 정신도 건강하지 못하다. '병든 왕보다 건강한 거지가 낫다'고 고통스럽기 때문이다. 내 인생의 겨울이 오면 추위를 잘 견디는 노인이 되고 싶었는데 막상 닥치니 이성적이지 못하다.

고통의 맛

생일을 맞아 미역국을 끓여 먹는데 어머니 생각이 났다. 음력 정월, 몸서리치도록 추운 겨울에 어머니는 나를 낳고 얼마나 힘들었을까. 정작 미역국을 먹어야 할 사람은 내가 아니고, 임신과 출산, 양육으로 고생하신 어머니가 드셔야 할 것 같다.

여자들은 임신을 하게 되면 기쁨과 동시에 두려움이 앞선다. 소중한 생명을 삼신할머니는 절대로 대가 없이 그냥 주시지 않기 때문이다. 참고 견디며 지켜야 할 금기사항도 많고, 심한 입덧과 몸의 변화로 끊임 없이 산모를 시험하며 괴롭힌다. 그렇게 산모의 고난과 시련은 시작되는 것이다.

한 생명의 잉태는 경이롭고 아름답지만, 후유증 또한 크다.

몸은 붓고, 가렵고 젖은 팽창돼 스치기만 해도 아파 소스라치며 비명을 지른다. 임신 초기에는 잘 먹지도 못하고, 물만 마셔도 구토를 한다. 어지러워 마음대로 움직일 수도 없고, 오직 인고의 시간을 참고 견뎌야만 무사히 출산을 할 수 있다.

지금은 의료기술이 발달해 그런 일은 거의 없지만, 예전에는 산모가 출산하다 저승길 가는 사람도 많았다고 한다. 지금도 가끔은 임신중독과 출산으로 목숨을 잃기도 한다. 여자들은 지옥을 경험하며 자신의 목숨을 걸고 자식을 낳아야 하는 것이 숙명이다. 조물주의 장난치곤 좀 가혹한 벌이다.

산모는 산달이 가까워 오면 몸이 소처럼 변한다. 변해버린 자신의 몸을 보면 낯설어 참는다고 참아도 슬프고 우울하다. 아기가 커갈수록 산모의 온몸은 살이 터서 가렵고 흉측하다. 남자에게 군대의 계급장이 있다면, 여자에게는 임신의 흉터가 계급장이다. 밤에는 잠도 제대로 못 자고, 똑바로 누워 있지도 못한다. 몸이 무거워 잘 걷지도 못하고, 혼자서는 일어나지도 못한다. 화장실에 갈 때면 아기가 변기에 빠져버릴 것 같아 겁나고 무섭다.

열 달을 무사히 채우고 출산한다 해도 고난은 그때부터 시작이다. 달리 '진자리 마른자리'가 아니다. 밤에 아기가 아파

울기라도 하면 가슴이 철렁한다. 아기를 안고 응급실을 뛰어 갔다 오는 일은 허다하다. 병치레를 심하게 하면 내가 전생에 무슨 죄를 지어 내 자식이 이렇게 아플까 하는 뭐 그런 말도 안 되는 무지한 생각도 한다.

어쨌건 대체로 산모는 출산 후 첫국밥으로 미역국을 먹는다. 아기는 그 미역국을 엄마의 젖을 통해 태어나 처음으로 세상의 음식을 맛본다. 달착지근하고 부드러운 미역국 맛은 앞으로 살아갈 날들이 만만찮다는 것을 알려주는 고통의 맛이기도 하다.

예전엔 출산이 가까운 산모에게 가족이나 지인들이 미역을 선물하는 풍습이 있었다. 미역 중에서도 고향인 기장 미역을 최고로 쳤다. 새로운 생명의 탄생을 축하하며 몸을 푼 산모가 미역국을 끓여 먹고 젖이 잘 돌아 아기와 산모가 무탈하길 바라는 마음이다.

당나라 서견 〈초학기〉에 고래가 새끼를 낳고 미역을 뜯어 먹어 산후의 상처를 낫게 하는 것을 고려 사람들이 보고 산모에게 미역을 먹였다는 설이 있다. 고래가 어찌 알고 출산 후 미역을 뜯어먹었는지 알 수 없지만, 조상님들 덕분에 그 전통이 오늘날까지 이어지고 있다.

그 미역국을 어머니는 생일 때마다 찰밥과 함께 끓여주셨다. 세상에 태어나 처음 맛본 미역국을 이젠 내 손으로 끓여 먹는다. 그때의 맛은 아니지만, 나를 낳던 어머니의 출산의 고통을 고스란히 느끼며 미역국을 먹는다.

벌

무료한 날들이 지나가고 있어 조금씩 나아지는 줄 알았는데 몸은 아닌 것 같다. 가만히 앉아 있어도 가슴이 답답하고 어질어질했다. 심장박동은 심하게 빨라지고 어지럽고 구토가 나왔다.

결국 생애 처음으로 119를 불렀다. 간신히 아래로 내려가 구급차를 타고 가는데 만사가 귀찮아 그냥 이대로 갔으면 좋겠다는 생각이 든다. 삶의 의미가 없어진다.

응급실에 도착해 모든 검사를 했다. 조금 있으니 검사 결과가 나왔다고 담당의사가 왔다. 의사는 내게 모든 검사를 다 했지만 몸에 이상은 없다고. 다만 스트레스 수치가 엄청 높게 나왔는데, 그 때문인 것 같다고. 무슨 일이 있느냐고 물으며 안정제를 처방해 주며 집에 가서 먹고 푹 자라고 했다. 스트레스 때문이라고 하니 그냥 멍했다.

마음은 안정을 찾으려고 무진장 안간힘을 써 봐도 순간순간 그날의 기억이 떠올라 힘들다는 것을. 마음의 평정을 찾으려고 별짓을 다해도 마찬가지였다. 결국 세월이라는 명약에 기대는 방법밖에 없는데 생각만큼 세월이 빨리빨리 가지 않았다.

몸은 살아서 움직여도 정신은 내 것이 아닌 것 같다. 스트레스가 극에 달해 머리카락은 백발이 되어가고 탈모까지 이어졌다. 결국 그 스트레스가 구급차를 타게 했고, 몸은 이렇게 살겠다고 자기 방어를 하며 몸부림을 친다.

인생을 살면서 기쁜 일이든, 슬픈 일이든 그 일을 겪고 나면 그에 대한 대가를 톡톡히 치른다. 물론 기쁜 일은 대가가 크지 않겠지만, 나쁜 일은 아니다. 사람의 영혼 자체를 흔들고 지나간다. 마치 아무것도 자라지 않은 황무지와도 같다. 조금만 앓고 나도 얼굴이 핼쑥해지는 것이 그것이다. 세상에 공짜가 없기 때문이다.

나는 안정제를 먹지 않고 견뎌보기로 했다. 내가 감당해야 할 삶의 무게라면 당당히 맞서 보기로 했다. 인생의 오후에서 머리카락이 하얗게 센들 어떻고, 탈모가 계속된들 어찌하겠는가. 그게 신이 내게 준 벌이라면 감당하는 수밖에 없지 않은가.

보리쌀 한 가마니

병든 아버지와 어린 동생들의 생계를 위해 여인숙 심부름 꾼으로 가는 12살 용식이 누나는 울고 있다. 가지 않으면 안 되느냐고, 가기 싫다고 엄마에게 매달리며 서럽게 울던 용식이 누나.

용식이 엄마는 행주치마로 연신 눈물을 닦으며 "네가 안 가면 누가 가느냐. 동생들은 가고 싶어도 너무 어려서 못 가지 않느냐. 그래도 너는 거기 가면 배는 곯지 않고 쌀밥은 배부르게 먹을 수 있다. 일 년만 고생하면 아버지가 자리 털고 일어나실 것이고, 그럼 그땐 집에 와도 된다."

그녀는 병든 아버지를 위해 일 년에 보리쌀 한 가마니를 받고 읍내에 있는 여인숙에 심부름꾼으로 간다고 했다. 동네 사람들은 어린것이 벌써부터 가장이 되었다고 대견해하는 사람도 있고, 불쌍하다고 혀를 차는 사람들도 있다.

우리도 그들과 같이 담 너머로 용식이네 가족들을 바라보고 있었다. 소개해준 아주머니 손에 끌려 마지못해 울면서 가는 그녀에게 용식은 맛있는 거 많이 사 오라고 손을 흔들며 배웅했다.

그런데 그녀가 떠나고 일 년이 채 안 되었을 때 읍내에서 용식이네로 사람이 왔다. 그녀가 장사꾼을 따라 서울로 야반도주했다고. 보리쌀 한 가마니를 물어내라고 난리였다. 딸이 도망갔다는 말에 용식이 아버지는 큰 충격을 받아 세상을 뜨고, 용식이 엄마도 몸져누웠다.

내가 그녀를 기억하는 것은 여기까지다. 시간이 많이 흐른 뒤에 우연히 그녀를 다시 보게 되었다. 난 그녀가 오랜 세월이 지났으니 당연히 형편이 좋아져 편안한 삶을 살 것이라고 생각했다. 어려서부터 사회생활도 많이 해서 생활력도 강하고, 경험도 풍부해 잘 살 것이라 믿었다.

그런데 그녀는 그때나 지금이나 달라진 것이 없었다. 나이 70에 자식은 있어도 남이 된 지 오래고, 여전히 쓸쓸하고 힘든 노년을 홀로 보내고 있었다. 그때 왜 도망갔냐고 물으니 돈을 더 준다고 해서 도망쳤다고 했다.

그렇게 따라간 장사꾼은 그녀를 다방에 시다로 팔아넘겼고, 의지할 때 없는 그녀는 객지에서 혼자 떠돌이 생활을 하다가 자신과 처지가 비슷한 남자를 만나 결혼도 했지만, 얼마 못 가 헤어졌다.

가난은 나라님도 구제를 못한다고 했는데 그 말이 맞는 것 같다. 다만 나로서는 안타까울 뿐이다. 그녀가 겪었던 모든 일들이 시대적 배경으로 봐서 그녀 혼자만의 잘못이 아니기 때문이다. 힘든 역경을 딛고 자수성가해 잘 사는 사람이 있는 반면, 그녀처럼 그렇지 못하는 사람도 있다.

예감

강물은 보기에 유유자적 고요히 홀로 흐르는 것 같지만 자세히 보면 그렇지가 않다. 자갈과 모래, 때론 바위뿐만 아니라 온갖 잡동사니들과 함께 흐른다. 그것들이 하나둘 모여 어느 한계점에 닿으면 둑이 되고 섬도 된다. 한마디로 퇴적물이 쌓이는 것이다.

사람들도 살면서 나이를 먹는데 그 나이를 그냥 먹는 게 아니다. 우린 어쩔 수 없이 득보다 실이 많은 삶을 살며 온갖 풍파를 겪는다. 그 풍파를 견디다 보면 세상을 조금씩 알게 되고 보는 법을 배운다. 그 득과 실들은 우리가 인지하지 못하는 사이에 우리의 정신과 뼛속에 퇴적물이 되어 차곡차곡 쌓이게 된다.

설사 그것이 지혜가 아니고 아집이라 해도 우린 그 경험에 비추어 인간관계를 형성하고 세상을 보는 것이다. 사람들은 이것을 안목이고, 연륜이라 한다. 무당도 아닌데 반 점쟁이가 된다. 어떤 일에 있어 마지못해 그것을 행하고 나면, 앞으로 닥쳐올 불길한 예감을 온몸으로 느낀다. 그리고 그 예감은 기분 나쁠 정도로 적중한다.

아파트에 입주한 지 10년이 넘어 베란다 창틀의 실리콘이 부식돼 비만 오면 빗물이 창틀로 스며들어 물이 샜다. 관리실에 얘기했더니 업체를 선정해 주었다.

아들 또래로 보이는 업자는 날짜를 잡아 알려줬는데 작업 날짜가 8월 초라 날씨가 38도가 넘었다. 삼복더위, 예감이 좋지 않아 급하지 않으니 날이 좀 선선해지면 하자고 몇 번을 권했다. 업자는 일정 때문에 곤란하다고 했고, 작업을 빨리 끝내고 휴가 갈 예정이고, 잘하겠다고 했지만 불안했다. 아무리 전문가라 해도 이렇게 더운 날 밧줄을 타고 외벽공사를 한다는 것은 무리고, 꼼꼼하게 하지 않을 것 같다. 올여름은 유난히 더워 집안의 온도도 36도가 넘어 온몸에 땀띠가 나고 숨이 콱콱 막힌다.

불안감을 억누르고 알아서 잘하겠지 했는데 예감이 맞았다. 태풍 '솔리'가 무사히 지나가고, 연이어 늦장마가 이어지더니 하늘은 그동안 참았던 빗물을 쉴 새 없이 쏟아부었다. 혹시나 하는 마음에 창틀을 보니 물이 샜다. 어찌 된 일인지 공사를 하기 전보다 더 많이 샜다. 아마도 창틀의 부식된 실리콘을 긁어내고 제대로 바르지 않은 것 같다. 베란다에 놓아둔 물건과 쌀자루가 모두 빗물에 흠뻑 젖었다.

빗물이 샌 곳을 사진을 찍어 업자에게 보내 AS를 신청했다. 하자보수를 해도 마찬가지였다. 차라리 그냥 뒀더라면 이 정도는 아닌데 후회막급이지만 엎질러진 물이다.

청개구리는 비만 오면 엄마의 무덤이 떠내려갈까 봐 밤새 개굴개굴 울며 무덤을 지키는데, 나는 비만 오면 베란다에 물이 새서 전전긍긍했다. 참다못한 나는 부아가 치밀어 독백을 날렸다.

"에이, 부자 될 놈!"

나르시시즘

친구 아들이 사고를 쳐서 후다닥 결혼식을 올렸다. 처음엔 아들이 취직을 하자마자 결혼을 한다고 하니 친구는 노발대발했다. 이제 겨우 밥벌이를 하게 되어 기대하고 있었는데 덜컥 사고를 쳐서 여자를 데리고 오니 그럴 만도 했다. 아직도 산업전선에서 현역으로 근무하는 친구는 앞이 캄캄했다고 한다.

우여곡절 끝에 아들을 결혼시키고 며느리와 손자까지 호박이 넝쿨째 굴러왔다. 결혼식이 끝나고 얼마 있다가 손자가 곧바로 태어났다. 그야말로 속전속결이다. 처음엔 못마땅해하더니 꼬물대는 손자 녀석을 보고 친구의 입이 귀에 걸렸다. 자랑하기 바빴다. 남이 봐도 예쁜데 친손자이니 오죽하겠는가.

　나는 지금까지 살면서 나 자신이 명품이라 여기며 살았다. 그 어떤 물질보다 내면의 평화와 단단함을 원했고, 비록 부모님의 사랑은 오래 받고 자라지는 못했지만, 다른 사람들보다 우수한 부모님의 유전자를 물려받았으니 이 정도면 행운이라 여기며 기죽지 않았다. 누가 들으면 교만하다 하겠지만, 그게 내가 사는 방식이었다.

　그렇게 나르시시즘이 강한 나는 삶의 무게에 짓눌릴 때도 단 한 번도 누굴 부러워하거나 질투를 느껴본 적이 없다. 길을 몰라 헤매기는 했어도 모자라면 열심히 노력해 채우면 되니까 언제나 자신만만했고, 누굴 만나도 여유가 있었다. 그런데 친구의 손자 자랑에 나의 나르시시즘은 한순간에 무너져 백기를 들고 말았다.

　니체 말에 의하면 사람들은 각자 '개인 권력'이라는 것이 존재한다고 한다. '개인 권력'이란 뭐 특별한 것이 아니고, 상대가 나와 비슷하면 그 상대가 잘 되는 것을 보고 시기와 질투를 한다는 것이다. 또한 사람들은 자신보다 월등한 사람은 쉽게 인정하고 그들을 시기하지 않는다고 한다. 자신이 아무리 노력해도 따라갈 수 없기 때문에 아예 포기하는 것이다.

　나와 그 친구도 비슷하다. 특별히 잘 사는 것도 아니고, 못

사는 것도 아니다. 그냥 남에게 손 벌리지 않고, 부모님 지원 없이 자수성가해 부족함 없이 살아간다. 다만 그 친구는 아들이 둘이고 나는 하나다.

우리가 살면서 박장대소하는 날이 일 년에 몇 번이나 될까? 아마도 손에 꼽아도 손가락이 남을 것이다. 웃을 일이 별로 없던 친구는 손자 때문에 얼굴형이 바뀌고 있다. 따뜻하고 포근한 할머니의 모습으로….

피와 땀

요즘은 농산물뿐만 아니라 무엇이든 클릭만 하면 집으로 배달돼 편리하고 좋은 세상에 사는 것만은 확실하다. 온라인 판매라 해도 물건이 나쁘지 않다. 다만 택배비 부담으로 농수산물 시장과 가격 차이가 별로 없다는 것이 흠이다.

올해는 양파 값이 너무 싸서 인건비도 건지지 못한다고 농민들이 갈아엎는다는 뉴스를 보니 가슴이 두근거린다. 일 년 동안 힘들게 농사지은 것을 오죽하면 갈아엎겠는가. 어느 농부가 길가에 양파자루를 쌓아 놓고 그냥 가져가라고 해도 가져가지 않는다고 하소연하는 것을 방송에서 보았다. 아마도 그것은 공짜라 양심상 가져가지 못하는 것이지 양파가 넘쳐나서가 아니다. 차라리 한 자루에 얼마요 했으면 사갔을 것이다.

우리나라 사람들이 오지랖도 넓고 성격 또한 급하다고 하지만, 표현하는 방법을 제대로 배우지 못해서 그렇지 10분만 상대의 눈을 보며 대화를 나누어보면 정도 많고, 수줍음도 잘 타고, 배려심도 깊고, 도움을 요청하면 자신의 일처럼 잘 도와준다. 다만 동방예의지국이란 수식어 때문인지는 알 수 없으나 예의 없고 잘난척하는 것을 제일 싫어한다. '벼는 익을수록 고개를 숙인다'는 옛말이 그냥 하는 말이 아니다.

전 세계적으로 사람을 만나면 밥 먹었느냐고 묻는 사람은 우리나라 사람들뿐이라고 한다. 그만큼 한국 사람들이 정이 많다는 뜻이다. 지난날 나라가 가난해 너나없이 못 살던 시절에는 남의 집 심부름 가는 것도 식사 때는 피해서 가고, 식사 때 집에 손님이 오면 그냥 보내지 않았다. 콩 한 쪽도 나누어 먹는 문화를 가진 우리가 아닌가. 아무리 먹을거리가 넘쳐나는 세상이라 해도 그 정 많은 문화만은 변함이 없다.

농부들도 힘들게 농사지은 것을 갈아엎지 말고 싸게라도 팔아 아까운 농산물을 그냥 썩혀 버리는 일이 없기를 간절히 바란다. 사람들도 올해는 무엇이 풍년이 들어 싸다고 하면 넉넉히 구입해 농부들의 시름을 덜어 주었으면 하는 바람이다. 요즘은 비닐하우스가 있어 사계절 농산물을 돈만 있으면 입맛에 따라 사 먹을 수 있는 좋은 세상에 살고 있지만, 비닐하우스가 없던 지난날을 생각하면 농부의 노고에 감사한다.

어린 시절엔 밥 먹다가 밥풀 하나만 흘려도 할아버지한테 혼쭐이 났다. 쌀 한 톨을 얻으려면 일 년을 기다려야 하고, 농부의 피와 땀으로 쌀밥을 먹는 것이지 곳간에서 쌀이 나는 것이 아니라고 하셨다. 밥 먹을 때마다 할아버지 눈치를 보며 방바닥에 떨어진 밥풀도 주워 먹고 자랐다. 배고픈 시절에 태어나 그런지 방송에서 올해는 무엇이 풍년이라 가격이 떨어져 농부들이 밭째 갈아엎는다고 하면 심장이 두근거린다.

그 아름다운 이름으로

신은 모든 곳에 함께할 수 없어 어머니를 만들었다고 했던 가? 그런데 그 어머니는 각자 다른 얼굴을 하고 있다. 친모가 화장실에 아이를 방치해 숨지게 했다는 뉴스를 보고, 이건 엄마가 아니고 악마가 아닌가 싶다. 세상에서 가장 존경받는 엄마라는 이름으로 어찌 그런 끔찍한 짓을 할 수 있을까? 안전하고 편안해야 할 엄마의 품이 안전하지 못하다면, 우린 아이들을 위해 무엇을 어떻게 해야 하는 걸까? 숙고해 본다.

나의 유년시절은 엄마의 부재로 결핍이 심했다. '엄마'라는 그 단어만으로도 눈물이 먼저 나와 생각조차 할 수 없었다. 엄마는 항상 그리움의 대상이었고, 슬픔이고, 다시는 볼 수 없다는 생각에 고통이었다. 할머니는 옛날이야기를 많이

해주셨는데 그중에서도 계모에 대한 이야기가 많았다. 지금도 기억이 나는 것이 "옛날 어느 마을에 장돌뱅이 홀아비가 어린 아들과 둘이 살았다. 홀아비는 장사를 나갈 때면 며칠씩 집을 비워야 했는데 혼자 있는 아들이 걱정돼 새로 장가를 들었다. 새로 맞은 부인은 아들한테 지극정성이라 자신이 낳은 아들처럼 대했다. 장돌뱅이는 안심하고 장사를 다닐 수 있었다.

그런데 시간이 지나면서 이상하게 아들은 점점 야위어갔고, 얼굴에 핏기가 하나도 없었다. 이를 이상하게 여긴 장돌뱅이는 장사를 나간다고 거짓말을 하고 숨어서 집안을 감시했다. 장돌뱅이가 장사를 나간 것을 확인한 새엄마는 아들을 방으로 데려가 아들의 정수리에서 주사기로 피를 한 바가지씩 뽑았다. 아들의 피를 전부 뽑아 말려 죽일 작정이었다. 아들은 계속 '엄마, 아프니까 살살해, 아파'를 반복했다. 장돌뱅이는 이 광경을 보고 충격을 받아 계모를 내쫓고 아들과 둘이 행복하게 살았다"는 이야기다.

어린 나는 할머니가 해주신 이야기를 듣고 크게 충격을 받았다. 이야기처럼 진짜로 엄마가 돌아가시고, 새엄마가 들어왔기 때문이다. 그 이야기 때문에 새엄마는 늘 공포의 대상이었고, 무서운 존재였다. 아버지가 외출하고 나면 혹시나 새

엄마가 내 정수리에서 주사기로 피를 뽑지나 않을까 두려워 불안한 유년시절을 보냈다.

물론 그런 일은 일어나지 않았지만, 그때는 참 많이 영혼이 슬프고 불행했었다. 어린 시절 엄마의 사랑이 결핍된 관계로, 결혼해서도 아들을 어떻게 키워야 잘 키우는지 몰라 엄하게만 키웠다. 사랑을 많이 줘야 하는데 많이 주지 못했다. 일하느라 바빴고, 만약에 나처럼 세상에 혼자 남겨질지도 모를 아들의 안위만 걱정돼 세상 사는 법부터 가르쳤다.

어쨌든 부모가 될 준비가 안 된 사람들은 부모가 되면 안 된다. 친엄마라고 해서 꼭 좋은 것만도 아니고, 새엄마라고 다 나쁜 것만도 아니다. 바라건대 세상에서 가장 아름다운 엄마라는 이름으로 어린 영혼들을 슬프게 하지 말기를…. 이 세상 모든 아이들이 나와 같이 결핍된 유년시절을 보내지 않기를.

넷.

불편한 동거

불편한
동거

무의식

외출을 하려고 엘리베이터를 탔다. 중간쯤 내려가는데 차 키를 안 가져간 것 같아 다시 올라가려는데 신랑이 왜 그러느냐고 묻는다.

"차 키를 안 가져온 것 같아."

"정신 안 차렷! 지금 손에 들고 있는 것은 차 키가 아니고 뭐야?"

"어?"

무심코 차가 주차해 있는 곳으로 가서 열심히 리모컨을 눌렀다. 그런데 아무리 해도 차 문이 열리지 않았다. 차에 배터리가 다 돼서 그러나 하고 안절부절못했다. 정신을 차리고 보니 다른 곳에 차를 주차해 놓고 차종이 같으니 번호판 확인도 안 하고 남의 차 문을 열려고 쌩 난리를 쳤다. 도대체 뭔 생각을 하며 사는 건지.

운전을 하는데 상향등이 켜져 있다고 신랑이 빨리 끄라고 했다.

"내가 안 켰어!"

"지금 켜고 가잖아? 빨리 꺼, 그렇게 상향등을 켜고 운전 하면 앞에서 오는 차들이 눈이 부셔서 운전하는데 위험해. 나쁜 사람 만나면 보복을 당할 수도 있어. 빨리 꺼!"

"어떻게 켜는지도 모르는데 어떻게 꺼, 내가 안 켰다고!"

"뭐라고…?"

얼마 전 재래시장에서도 웃지 못 할 일이 있었다. 시장 안 에는 활기가 넘쳤고, 사람들도 많았다. 이것저것 구경을 하면 서 신랑을 잃어버리지 않으려고 팔짱을 꼈더니 내 팔을 뿌리 쳤다. 왜 그러나 하고 다시 옷소매를 잡아끌었더니 또 손을 뿌리치고 가버렸다. 나는 다시 옷소매를 잡고 따라갔다. 그 런데 뒤에서 누가 툭툭 쳤다. 돌아보니 신랑이다. 건너편에서 물건을 구경하다가 내가 다른 남자 팔을 잡고 가는 것을 보 고 따라왔다고 했다.

"죄송합니다. 이 사람이 저인 줄 알고 착각했나 봐요."

신랑의 말에 그 남자는 씩 웃고 지나갔지만, 나는 많이 당황스러웠다.

"그 남자가 그렇게 싫다는데도 계속 만지며 따라가고 싶냐?"

"옷이랑 체격이 비슷해서 그랬지!"

예전에 언젠가도 아들 녀석이 양말을 아무 데나 벗어 놓아서 한마디 했다.

"야, 이 녀석아, 양말을 벗었으면 냉장고(세탁기)에 넣어야지 이게 뭐니?"

다음날 아침에 아침 준비를 하려고 냉장고 문을 열었더니 구린내 나는 아들의 양말이 냉장고 속에서 냉찜질을 하고 있었다. 순간 어찌나 열이 받던지 잠자는 녀석을 두들겨 깨워 아침부터 콩 타작을 했다. 데시벨은 점점 커져 이웃들의 단잠을 깨웠다.

"이 녀석아 양말을 벗었으면 세탁기에 넣어야지 냉장고에 넣으면 어떡하니? 더러워서 반찬들을 어떻게 먹어? 도대체 너 정신이 있어 없어 어?"

"엄마가 어제 냉장고에 넣으라고 했잖아요!"

"뭐…?"

어이가 없어서 친구에게 하소연을 했더니 그 친구는 한술 더 떴다. 그녀는 어느 날 목사님과 심방을 가기로 했는데 어쩌다 보니 좀 늦었다. 속옷만 입고 화장을 하고 있는데 밖에서 빨리 나오라는 소리를 듣고 후다닥 외투를 입고 나갔다. 심방에 도착해 외투를 벗으려고 보니 속옷만 입고 있어 너무 놀라 현기증이 났고, 방이 더워 땀을 뻘뻘 흘리니까 사람들이 외투를 벗으라고 권해 곤혹스러웠다고 했다.

친구의 이야기를 듣고 박장대소했지만, 이렇게 일상에서 무의식적으로 일어나는 일들을 그냥 웃어넘겨도 될지, 아니면 병원을 가봐야 하는 건지 잘 모르겠다. 오늘도 서랍에서 라면을 꺼낸다는 것이 전자레인지를 열었다 닫았다 반복하고 있었다. 당최 뭔 정신으로 사는지.

승과 패

　태어나 처음으로 된장과 고추장을 직접 담가 보기로 했다. 그동안 너무 바쁘고 번거로워 장을 어떻게 담을까 생각만 하고 실천하지 못했다. 무엇인가를 도전하려면 모험이 필요하다. 성공과 실패를 가름할 수 없기에 각오가 필요하다.

　그러나 실패했다고 해서 주눅 들거나 기죽을 필요는 없다. 경험이라는 것은 그냥 얻어지는 것도 아니고, 돈을 주고 살 수도 없는 것이다. 무엇을 얻으려면 항상 대가를 톡톡히 치러야 한다. 장 담는 일은 비용도 만만치 않지만, 손도 많이 간다. 또한 주택도 아니고 아파트라 실패할 확률이 높다. 그렇다고 계속 감질나게 사 먹을 수도 없고, 포기하기도 싫어 버리는 셈 치고 큰맘 먹고 장 담그기에 도전했다.

원래 사람의 심리는 본인이 갖지 못하는 것에 대한 집착이 심하다. 나도 예외는 아닌 것이, 된장과 고추장을 직접 담는 법을 몰라 장에 대한 욕심이 많았다. 모든 것은 거의 돈으로 해결이 되지만, 장은 그렇지가 않았다. 된장을 사 먹기도 했는데 어린 시절 엄마의 손맛은 아니었다. 가끔 지인들이 장을 나누어주면 세상의 그 어떤 값진 선물보다도 좋았고 감사했다.

아마도 그 이유는 스무 살 때부터 혼자 자취를 했기 때문일 것이다. 자취하면서 가장 곤란한 것은 밥은 그런대로 하는데 반찬을 어떻게 해 먹어야 하는지 몰랐다. 밥을 간장과 계란, 버터를 넣고 비벼먹고, 주말이면 김을 구워놓고 먹기도 했다. 가장 먹고 싶은 것은 산해진미가 아닌, 소박한 된장국과 고추장이었다. 염치 불고하고 이모와 삼촌네서 장을 조금씩 얻어다 먹었는데, 그것도 한두 번이지 시간이 지나면서 자존심도 상하고 눈치가 보여 그만두었다.

어쨌든 첫 작품으로 매실고추장을 담갔다. 맛을 보니 괜찮았다. 사 먹는 고추장은 찌개를 끓이면 맛이 텁텁하지만, 집에서 담근 고추장은 국물이 칼칼하고 개운하다. 된장도 소금 비율만 잘 맞추면 크게 어렵지 않았다. 옛날엔 구정 지나고 말날과 손 없는 날에 된장을 담갔는데 요즘 추세는 사람들이 짠맛을 싫어해 추울 때 된장을 담그면 소금을 덜 넣어도 되니 더욱 좋다고 한다.

된장을 담그고 한 달 정도 지나자 향긋한 냄새가 났다. 시간이 좀 지나니까 곰팡이가 하얗게 폈다. 뭐가 잘못된 줄 알고 인터넷 스승에게 물어봤더니 정상적으로 잘되고 있다고 했다. 올해부터는 장에 대한 욕심은 버려도 될 것 같다.

이처럼 무엇이든 진정으로 얻고자 한다면 최선을 다해 도전해 보는 것도 나쁘지 않다. 모든 사람들이 처음부터 다 잘하는 사람은 없다. 승과 패를 거듭하면서 하나둘 경험이 쌓여 잘하게 되는 것이다. 귀찮고 번거로움을 강행한 덕분에 이젠 남에게 아쉬운 소리를 하지 않아도 되고, 그들을 부러워하지 않아도 된다. 베란다에서 장醬 익는 냄새가 달달하게 나니 뿌듯하고 부자가 된 느낌이다.

불편한 동거

　오빠는 다니던 직장을 명퇴하고, 퇴직금으로 김제 금산사 뒤에 이천 평이 넘는 밭을 구입해, 거기서 닭도 기르고, 농사도 짓고, 채소도 가꾸며 분재와 공예, 조각을 했다. 평생 땅에 대한 욕심이 많았는데 소원 풀이를 한 셈이다.

　그런데 몇 년이 지나자 농장에 불청객이 나타났다. 다름 아닌 큰 구렁이다. 그 녀석들이 언제부터 그곳에 있었는지 정확히 모른다. 어느 날 오빠가 농장에서 김을 매고 있는데 엉덩이 뒤로 싸한 것이 느껴지며 갑자기 시원해서 뒤돌아보니 커다란 구렁이 두 마리가 스르륵 지나가고 있더란다. 어찌나 놀랐던지 하던 일을 멈추고 구렁이를 잡아 자루에 넣어 두었다. 살생을 싫어하는 오빠는 구렁이를 죽일 수도 없고, 팔 수도 없어 밤새 고민에 빠졌다. 다음날 날이 밝자 깊은 산속에 들어가 구렁이를 풀어주고 왔다.

그리고 몇 달이 지나서 그 녀석들을 까맣게 잊어버리고 있었는데 또 녀석들이 나타나 오빠는 기겁을 했고, 어찌어찌하다가 다시 잡아 산속에 놓아주며 제발 농장에 오지 말고 여기서 살라고 신신당부를 하고 돌아왔다.

그런데 몇 개월 후에 또 그 구렁이가 농장에 있어 기가 막혀서 기절초풍할 뻔했다. 뱀이 자신이 살던 곳을 기억해 회귀 본능이 있는지는 모르지만, 농장 귀퉁이에 작은 연못이 있는데 거기서 천연덕스럽게 개구리를 잡아먹고 있더란다. 두 번씩이나 구렁이를 잡아 산속에 놓아주었는데 자신이 살던 곳으로 귀신같이 찾아오니 결국 오빠는 구렁이를 쫓아내지 못하고 녀석들과 같이 산다.

처음엔 닭과 병아리를 잡아먹을까 봐 노심초사하며, 농장에 피해를 주거나 닭과 병아리를 잡아먹으면 너희들을 잡아서 팔아버리겠다고, 구렁이가 듣거나 말거나 말을 했다고, 그런데 신기하게도 쥐와 개구리, 실뱀들은 잡아먹으면서 농장에서 키우는 닭과 병아리는 잡아먹지 않았다고 한다. 구렁이가 사람의 말을 알아듣는 것 같다고.

구렁이는 원래 우리나라 토테미즘에 나오는 토지신이다. 옛날에 할머니가 하시는 말씀을 기억해 보면 집터에 있는 구렁이는 내쫓거나 죽여서는 안 된다고 했다. 집터를 지키는 지신이라고 신성시했다. 또한 우리네 조상들은 예로부터 칠성전에 물 떠놓고 빌었다. 그런 자손들이 함부로 살생을 하면 안되는 것이고, 구렁이는 영물로 전해진다. 오빠도 그래서 구렁이를 내쫓지 못하고 불편한 동거를 한다.

어느 비가 온 다음날 보니까 구렁이가 비닐하우스 위에서 일광욕을 하고 있어, 사람들 눈에 띄면 위험하다고, 당장 내려오라고 하니, 오빠 말을 알아들었는지 스르륵 내려와 자취를 감추었다고, 오빠 이외엔 구렁이를 본 사람은 없다고, 나도 오빠네 농장을 자주 갔지만 한 번도 못 봤다.

이제는 일하다가 녀석들이 지나가도 아무렇지 않다고, 땅값은 오빠가 지불했지만, 본래 녀석들의 영역일 수도 있지 않느냐고, 몇 번을 갖다 버려도 그 먼 길을 돌아 제집을 찾아오는 구렁이를 어찌할 수 없이 그냥 둬야 될 것 같다고 한다.

스승

길가에 핀 민들레꽃이 어느새 하얀 홀씨가 되어 바람에 날아간다. 새들이 군무를 하듯 바람을 따라 하늘 높이 눈처럼 민들레 홀씨들이 날아가고 있다. 홀씨 하나가 날아와 길을 걷는 내 머리 위에도 어깨 위에도 내려앉는다. 나는 그 홀씨를 흙이 있는 곳에다 내려놓았다. 내년이면 또다시 노란 민들레가 필 것이다.

그리고 보면 스승이라는 존재는 꼭 학교에만 있는 것이 아니다. 내가 지금까지 살아오면서 사람이든, 사물이든, 식물이든 나를 스쳐간 이 세상 모든 것들이 다 내겐 스승이었다. 기쁨은 기쁨대로 슬픔은 슬픔대로, 어느 것 한 가지도 내가 영향을 받지 않은 것은 없었다. 나를 건드리고 괴롭히고 고통스럽게 하는 이 세상 모든 것이 곧 나의 스승이었다. 그 모든 것은 나를 더욱 단단하고 견고하게 빚어 성장시켰고, 세상과 어울려 사는 법을 가르쳐주었다.

성장에는 고통이 따르듯 작은 나무나 자라 큰 나무가 되려면 수많은 고통과 시련을 겪어야 한다. 먼저 햇볕을 잘 받아야 잘 자랄 수 있다. 벌레가 나뭇잎을 갉아먹지 않도록 병충해와도 싸워야 한다. 태풍과 천둥 번개도 견뎌야 하고, 매서운 추위에도 견뎌야 한다. 주위의 나무들과도 보이지 않은 경쟁을 해야만 살아남을 수 있다. 나무도 이러한 고통을 겪는데 사람은 오죽하겠는가.

나는 혼자서 힘들게 성장했다고 생각했다. 그래서 자기애가 강했다. 친구들이 힘들다고 하면 부모님 밑에서 편하게 인생을 시작하는 부르주아가 감사할 줄 모르고 무슨 불평이 그렇게 많으냐고 질책했다.

그런데 그 모든 것은 나의 착각이었다. 이 세상은 혼자서는 절대로 살아갈 수가 없다. 나를 성장시킨 것은 바로 나를 스쳐간 인연들이었고, 나를 괴롭힌 것들이었다. 좋고 나쁨을 떠나 어떤 인연도 내가 영향을 받지 않은 인연은 없었다. 비록 시절 인연이 다해 지금은 연락이 닿지 않아도, 그들의 영향을 받아 오늘의 내가 있다. 결국 그들 모두는 나에게 고마운 스승인 셈이다.

소환

올해는 유난히 날씨가 춥고 몸서리치도록 시리고 맵다. 사방을 둘러봐도 겨울의 무겁고 고단한 발걸음이 느껴진다. 다른 해보다 눈이 많이 왔다. 모두들 이상기온 현상이라고 하지만 겨울은 추워야 한다.

어린 시절 강원도 묵호에서 산 적이 있는데 겨울이면 그곳엔 눈이 많이 왔다. 눈이 지붕을 거의 덮을 정도로 쌓여서 옆집과 옆집을 오고 가는 길은 눈 터널을 뚫어 그곳으로 아이들은 왕래했다. 식수를 먹기 위해서는 얼음을 도끼로 깨야만 했고, 허드렛물은 눈을 퍼다 녹여서 사용했다.

하여간 그때처럼은 아니지만 올해는 눈이 많이 온다. 밖엔 오늘도 함박눈이 내린다. 얼마 전에 내린 눈도 다 녹지 않았는데 또 눈이 내린다. 눈 위에 눈이 또 내려 쌓여있다. 운동장에는 사람 대신 눈사람이 많이 서 있다. 파출소에 근무하는 전경들이 눈을 치우다 치우다 처리를 못 하니 대형 눈사람을 만들어 여기저기 세워 두었다.

눈사람을 보니 오랜만에 동심으로 돌아간 것 같다. 사람들도 대형 눈사람 앞에서 사진을 찍으며 추억을 남긴다. 나도 지나가다 사진 한 장을 찍었다. 어른이 되어도 마음속 한 구석에는 동심이 자리 잡고 있다.

결국 동심이라는 것은 없어지는 것이 아니고, 어른으로서 책임과 의무를 다하다 보니 동심을 잊고 사는 것은 아닌지. 어디인지도 모르는 곳에 꾹꾹 눌러 처박아 놓은 동심이 어느 순간에 모습을 드러낸다. 그리고 이런 광경을 보게 되면 미소 짓게 되는 것 같다.

예전에 이렇게 추운 날에는 어머니가 팥 국수를 해주셨다. 부모님이 모두 전라도가 고향이다 보니 우리 형제는 부산에서 태어났어도 음식은 모두 전라도 음식을 먹고 자랐다. 팥 국수는 전라도 음식이다.

긴 겨울이면 어머니는 가마솥에 팥을 삶아 밀가루 반죽을 해 홍두깨로 밀어 팥 국수를 만들어 주셨다. 긴긴 겨울 밖에서 뛰어놀다 들어오면 따뜻한 팥 국수가 기다리고 있었다. 우리 형제들은 밥상에 둘러앉아 게걸스럽게 팥 국수를 배가 터지도록 먹고 또 먹었다.

오늘처럼 날이 우중충한 날에는 팥 국수를 해 먹기가 좋다. 아침부터 팥을 삶고 밀가루 반죽을 해 홍두깨로 밀어 팥 칼국수를 만들었다. 걸쭉하게 만들어진 팥 칼국수를 한 그릇 떠서 동치미와 함께 먹으려고 식탁에 앉았다.

한 숟가락 떠서 입에 넣으니 그 옛날 어머니가 해주시던 그 맛이 아니었다. 하는 수 없이 창밖에 내리는 함박눈을 보며 옛 기억을 소환했다. 온 가족이 둘러앉아 맛있게 먹던 그때의 그 맛을 기억하며 맛이 아닌 추억으로 팥 국수를 먹었다.

염원

　연둣빛 물결이 출렁거리는 오월의 어느 날 새벽을 활짝 열고 차를 몰아 봉정암에 갔다. 전하는 말에 의하면 가는 길이 험해 인연이 닿아야만 갈 수 있고, 아무나 갈 수 없다고 해서 큰맘 먹고 갔다.

　연무가 뿌연 주차장에 차를 대고 백담사까지 가는 버스에 오르니 아침 8시가 조금 넘었다. 아침이라 바람은 좀 차가웠지만 서늘함이 온몸을 긴장시켜 좋았다. 산새 소리가 청아하게 들리는 아침이다. 이곳에서 듣는 새소리는 좀 다른 것 같다. 느낌 때문인지 도시에서 듣는 새소리보다 더 맑고 경쾌하게 들린다.

　백담사 가는 버스는 맑은 물소리가 들리는 산허리를 구불

구불 돌아 한참을 올라갔다. 백담사 주차장에 내려서 계곡을 따라 걸으며 아침으로 주먹밥을 먹었다. 아침인데도 내려오는 사람들이 많았다. 봉정암에서 밤을 보내고 내려오는 것 같다.

그들은 힘내라고 인사를 건네며 지나갔다. 힘들게 올라가는 이유를 말하지 않아도 잘 알고 있기 때문일까. 그들은 무슨 염원을 부처님께 부려 놓고 왔을까. 그리고 난 또 무슨 염원이 그렇게 깊어 밤잠을 설치며 새벽길을 달려 이 험한 산길을 목까지 차오르는 숨을 헐떡이며 힘들게 오르는 것일까. 아침 햇살이 눅눅한 몸 여기저기를 만지작거리고 있을 때 의문은 의문을 품고 발길을 재촉했다.

푸르른 5월의 실록은 마음을 가볍게 했지만 계곡을 따라 한참을 올라가니 다리가 아팠다. 초행길이라 어디까지 가야 하는지 몰라 가도 가도 끝이 보이지 않았다. 수많은 계단을 오르락내리락 반복하다 보니 다리에 무리가 갔다. 빠른 걸음으로 5시간을 가야 하는데 걸음이 늦어져 산속에서 밤을 새우면 어쩌나 하는 불안감이 엄습한다. 이제 겨우 3시간가량 왔는데 몸은 점점 무거워졌고, 쉴 새 없이 흘러내리는 땀이 몸속에 있는 염분을 모두 증발시켜버렸는지 머리가 깨질 듯이 아팠다.

잠시 계곡의 시원한 물에 손수건을 적셔 땀을 닦아 봐도 소용이 없다. 몸은 점점 지쳐가고 부처님께 올리려고 가져간 쌀 1킬로의 무게가 큰 바위처럼 어깨를 짓누른다. 지친 몸을 잠시 쉬면서 간식을 먹고 있는데 어디서 나타났는지 다람쥐들이 다가와 간식을 달라고 한다. 먹던 것을 조금씩 떼어 주니 간식을 받아 눈앞에서 정신없이 먹는다. 신기하게도 이곳 다람쥐들은 사람을 무서워하지 않았다. 쉽게 말해 다람쥐들이 이곳을 지나는 산객들에게 길세를 받고 있었다. 간 큰 녀석들이다.

잠시 쉬었다 다리를 질질 끌다시피 해서 겨우 깔딱고개 앞에 서니 앞이 캄캄했다. 저 고개를 넘어가야 하는데 다리가 무거워 움직이지 않았다. 그야말로 깔딱고개다. 고소공포증이 있는 나는 쳐다만 봐도 어질어질하고 현기증이 났다.

어느 할머니는 젊은 시절 내내 이 깔딱고개를 넘어 봉정암에 기도를 드리러 왔다고 한다. 나이가 들어 다리에 힘이 없어 더 이상 이 깔딱고개를 넘을 수 없는 할머니를 아들이 업고 고개를 넘어 봉정암에 온다고 한다. 할머니에 대한 이야기는 유명하다.

난 그 할머니 이야기를 듣는 내내 기분이 별로였다. 할머니가 욕심이 과하다는 생각이 들어서다. 젊어서 이곳을 그렇게 많이 찾았다면 그것은 부처님께 복을 받은 것인데 감사할 줄 모르는 것 같다. 몸이 허락하지 않으면 그만두면 되지 굳이 아들 등에 업혀 이 험한 고개를 넘어 꼭 이곳에 와야만 하는 것인가 하는 의문이 들기 때문이다. 아직 젊은 아들은 어머니께 효를 다하기 위해 행하는 행동이겠지만, 아들의 무릎은 서서히 절단이 나고 있다는 것을 할머니는 알아야 한다. 뭐든지 과하면 화를 부르는 법, 넘치는 것은 모자람만 못하다.

깔딱고개를 올라가는 내내 아래를 내려다보지 못하고 기어서 올라갔다. 아차, 하는 순간 낭떠러지로 굴러 떨어져 몸이 산산조각이 날 것 같았다. 간신히 올라간 봉정암에는 어디서 그렇게 많은 사람들이 왔는지 바글바글했다.

특히 할머니들이 많았는데 그 험산 산을 어떻게 올라왔는지 신기했다. 속으로 내심 그들이 존경스러웠다. 나도 올라오기가 힘들었는데 저분들은 어떻게 왔을까. 땀을 많이 흘려 머리가 터질 것처럼 아팠다. 신기하게도 찬물에 세수를 하고 나니 머리가 맑아졌다. 5월인데도 물이 얼음처럼 차가웠다.

서둘러 가져 간 쌀을 부처님께 올리고 기도를 했다. 그런데 아무 생각이 나지 않아 그저 가만히 앉아 있었다. 그 힘든 고개를 넘어오면서 마음속에 있던 응어리가 모두 사라진 것 같다. 부처님께 부려 놓으려고 지고 간 무거운 짐들이 가벼워져서 새삼스럽게 주절주절 기도를 하지 않아도 될 것 같았다. 그저 마음속 도량에 등불 하나 켜놓고 가만히 앉아있었다. 기도란 그런 것 같다.

이유

봄이 되니 산과 들에 어른들이 봄나물을 뜯느라 바쁘다. 산은 청정지역이라 괜찮은데 개천과 길가는 좀 그렇다. 벚꽃나무 아래 개똥도 있고, 쓰레기도 많은데 거기서 거동이 불편한 할머니들이 쭈그리고 앉아 달래와 쑥, 돌미나리를 캐느라고 정신이 없다. 비닐봉지가 묵직하다. 이런 곳에서 쑥을 뜯어 섭취하면 안 된다고 안내를 해도 소용이 없다. 새싹이라 괜찮다고 한다. 아니라고 해도 역정을 내시니 포기했다.

예전에 길에서 할머니들이 쑥이며 달래, 냉이를 팔고 계시면 그냥 지나갈 수가 없었다. 할머니 생각도 나고 측은지심이 생겨 사줬다. 지금 생각해 보면 참으로 어리석은 행동이었다. 몸이 불편하신 할머니들이 먼 거리를 이동해 청정지역에서 쑥을 캐올 수는 없었을 것이다. 모두가 길가나 개천가가 전부가 아니겠는가. 그런 것을 사다가 가족의 건강을 위한다고 국을 끓여 먹였으니 얼마나 우매하고 어리석은 일인가. 어리석은 데는 약도 없다고 했는데 내가 딱 그랬다.

여인들이 봄이 되면 봄나물을 뜯고, 남자들이 퇴근해 집으로 오는 길에 무엇이든 사 가지고 오는 것은 다 이유가 있다고 한다. 바로 우리들의 선조인 조상님들 때문이라고 한다. 우리 선조들은 이동을 하며 수렵 채집과 사냥을 하며 살았다. 여자들은 아이들을 돌보며 수렵 채집일 하고, 남자들은 사냥을 했다. 그러한 선조들의 DNA가 오늘날까지 전해져 무의식적으로 행동을 한다는 것이다.

그래서 그런지 산이나 들을 지나다가 나물들을 보면 나도 모르게 그것들을 뜯고 싶어진다. 오늘도 산에서 할머니들이 다래 순을 따는 것을 보고 나도 따올까 뭐 그런 생각을 잠시했다. 잘 먹지도 않은 나물들을 보고 욕심이 생기는 이유가 다 선조들 때문이라니 신기하다. 몇 천 년을 진화를 거듭해도 그 DNA가 남아 있으니 말이다.

남자들도 퇴근 후 무엇인가 사들고 집으로 향하는 것은 그 옛날 사냥하는 습관 때문이라고 한다. 사냥에 성공해 돌아오는 길은 왁자지껄하다. 남성의 힘과 능력을 부족의 여자들에게 보여주며 인정받고 싶은 마음일 것이다. 물론 사냥에 실패하고 빈손으로 돌아온 날에는 여자들이 채집한 것을 먹으며 기가 죽었을 것이다.

나와 함께 사는 사람도 퇴근하면 빈손으로 오는 법이 없다. 사 오지 말라고 해도 쓸 때 없는 것들을 주렁주렁 사 가지고 온다. 제일 고통스러운 것은 밤 12시가 넘어 술에 취해 들어오면서 통닭을 사 오는 것이다. 배가 고파야 잠을 자는 나는 그 통닭 냄새가 고통스럽다. 따뜻할 때 한 입만 먹었으면 좋겠는데, 늦은 밤에 먹을 수도 없고 통닭 냄새가 밤새 잠을 설치게 했다.

아침에 일어나면 집안 전체가 통닭 냄새로 가득하다. 환기를 시켜도 쉽게 사라지지 않는다. 식은 통닭은 전자레인지에 데워도 그 맛이 안 난다. 다시는 밤에 통닭을 사 오지 말라고 해도 약주만 마시면 무엇이든 사들고 오는 이유가 선조들 때문이라니 신기할 뿐이다.

희비

　오늘 그를 만났다. 청춘의 한 자락 저편에 뽀송뽀송한 솜털을 벗고 사회에 첫발을 디디던 날 미팅이라는 것을 처음 했다. 적당한 키에 얼굴이 유난히 하얗던 그가 맘에 들었다. 그도 내가 마음에 들었는지 나에게 말을 걸어왔다.

　우리들은 서로의 소지품을 꺼내놓고 마음에 드는 상대가 자신의 물건을 가져가길 간절히 바랐다. 그리고 자신들의 물건을 집어 든 상대와 명동거리를 쏘다니며 즐거운 한 때를 보냈다. 점심으로 중국집에서 자장면과 군만두를 시켜먹을 때 그가 나에게 말했다.

　"저, 자장면 좋아하세요?"

　"?"

"좋아하면 날마다 사주려고요?"

"아, 네!"

내가 맘에 든다는 이야기를 그는 날마다 자장면을 사주겠다는 말로 대신했다. 우리들은 진정한 사랑의 의미도 모른 채 서로에게 빠져들며 친구들끼리 온종일 깔깔대며 여행도 가고 운동도 하며 떠들고 다녔다. 한 계절이 바뀌어 갈 때 그는 군 입대를 앞두고 상기된 얼굴로 나를 찾아왔다. 군 복무를 마칠 때까지 기다려달라고, 우리는 그렇게 핑크빛 미래를 꿈꾸며 언약을 했다.

그런데 그는 군대에 가지 못했다. 징병검사를 받으러 간 그가 폐결핵 판정을 받아 군대를 면제받았다. 건강하다고 믿었던 그가 지병이 있었다는 사실에 큰 충격을 받았다. 그것도 병세가 꽤 깊다고 하니 제정신이 아니었다.

그 뒤로 그는 상실감이 너무 커 친구들 모임에도 나오지 않고, 나도 만나주지 않았다. 친구들은 그가 나를 피하는 것이 오히려 잘 된 일이라고 했다. 내 곁을 떠나간 그 후로 어느 누구와도 만나지 않고 은둔생활을 하며 지병 치료차 요양을 위해 시골로 내려갔다는 소식만 전해 들었다.

세월은 빠르게 흘러갔고, 친구들은 하나둘 결혼했다. 나도 다른 사람을 만나 결혼했다. 가끔은 그가 죽었는지 살았는지, 아니면 결혼은 했는지, 아직도 결핵을 앓고 있는지 궁금했다. 그러던 어느 날 20년이 지나서 우연히 그에게서 연락이 왔다. 좀 볼 수 있느냐고…

그러겠다고 하고 그와 약속을 잡았다. 나도 내심 그가 궁금했다. 카페에 도착하니 한 중년의 남자가 커피숍 문을 열고 들어왔다. 두리번거리며 걸어오는 모습을 보는 순간 '아,' 하는 비명과 함께 온몸에 전율을 느끼며 그 자리를 박차고 나오고 싶었다. 세월을 잊은 망각이 눈앞에서 펼쳐지는 현실을 받아들일 수 없어 괜히 나왔다는 생각을 하고 있을 때 그가 다가왔다.

"오랜만이지?"

"으음, 그래, 오랜만이다."

나는 그렇게 20년 만에 그를 보고 기대보다는 실망이 더 컸다. 커피숍 의자에 꾸어다 놓은 보릿자루처럼 앉아 끝도 없이 그의 이야기를 들으며 젊은 날의 추억은 꼭 아름다운 것만은 아닌 것 같았다. 한 시간 가까이 그가 무슨 말을 하는지 하나도 들리지 않았다. 다만 20년이란 세월의 거리는 너무나 멀었다.

몸도 좋아졌고, 사업도 성공해 누릴 것은 모두 누리고 살고 있는 것 같았다. 근사한 외제차를 타고 와 기사는 두고 왔다고 말하는 그가 왠지 거북해 보였다. 저녁이나 같이하고 가자는 그의 청을 거절하고 돌아오며 많은 생각을 했다. 예전과는 달리 세월이라는 무게와 중년 아저씨 특유의 얍삽함과 비대한 몸을 보니 유쾌하지 않았다.

사람들은 삶의 무게에 짓눌려 힘겹고 고달픔을 느낄 때 아련한 옛사랑의 그림자를 찾아 헤맨다. 그러나 그것이 얼마나 위험한 일인가. 친구들도 가끔씩 보면서 서로 늙어가는 모습을 보고 살아야 정이 들지 20~30년이 지나 만나게 되면 대화도 겉돌고 서로 변한 모습에 낯설다.

첫사랑을 찾아 헤맬 때까지는 작은 설렘과 흥분으로 전율을 느낄지도 모른다. 그러나 그 대상과 마주하게 되면 희열보다는 씁쓸함이 앞서 후회하게 된다.

파랑새를 찾으러 나간 것은 아니지만, 그 아름다운 추억을 덮어두지 못한 자신을 질책했다. 과거는 끊임없이 현재의 삶에 감미료처럼 활력소가 되기도 하지만, 막상 그 대상과 직면하게 되면 희비가 엇갈린다.

감정 쓰레기통

'사랑하는 사람을 만들지 말라, 미워하는 사람도 만들지 말라, 사랑하는 사람은 못 만나 괴롭고, 미워하는 사람은 만나서 괴롭다.' 법구경에 나오는 말이다. 우리가 한평생 살면서 만나고 싶은 사람만 만나고 살 수는 없다. 만약 그런 사람이 있다면 그 사람은 행운아이거나 아니면 전생에 나라를 구한 게 아니고, 태어나 평생 아무도 만나지 않고 무인도에서 혼자 사는 사람일 것이다.

대부분의 사람들은 만나고 싶은 사람보다 만나고 싶지 않은 사람을 더 많이 만나고 산다. 나 또한 예외가 아니라 껄끄러운 사람을 피한다고 하지만 그렇지가 못하다. 길에서 우연히 마주친 지인을 보고 못 본 척 고개를 돌리고 가는데 어느

새 뒤따라와 인사를 한다. 나는 '또 시달리겠구나. 오는 일진이 나쁘군.' 이렇게 생각했다.

아니나 다를까 옆에 바짝 붙어서 끝까지 따라오며 잠시도 쉬지 않고 떠들어 댄다. 대게 아이들과 남편 자랑으로 시작해서 시어머니 욕으로 이어진다. 나는 남의 이야기를 잘 들어주는 편인데, 듣기 좋은 말도 한두 번이지 그 지인을 만나면 머리가 흔들린다. 그리고 하루 종일 기분이 나쁘다.

사람 사는 것은 모두가 거기서 거긴데 특별할 것도 없는 아이들과 남편 자랑은 왜 그렇게 하는지 모르겠다. 난 내가 대통령 부인이라 해도 자랑할 게 없을 것 같다. 나 자신이 대통령이 아니기 때문이다. 가족을 내세워 자랑하는 사람을 보면 남의 옷을 입고 있는 것 같아 듣기 거북하다. 그렇게 자랑하는 남편을 낳아준 시어머니 험담과 욕은 왜 하는지 모르겠다.

사람에게는 누구나 자신만이 지고 가야 할 삶의 짐이 있다. 태어나면서 운명적으로 져야만 하는 짐과 자신의 선택에 의해서 생긴 짐이 그것이다. 싫든 좋든 그 짐은 혼자서 지고 가야 한다. 그 누구도 그 짐을 대신 저줄 수가 없다. 그것은 바로 자신의 몫이기 때문이다.

난 내가 그녀의 감정 쓰레기통이 된 것 같아 불쾌해서 한

마디 했다. '그렇게 맘에 안 들면 뒤에서 말하지 말고 시어머니 얼굴을 보고 똑바로 이야기하라고, 그리고 정면에서 말할 자신이 없으면 그냥 팔자려니 하고 참고 살라고' 했다. 사람은 누구나 자신만이 지고 가야 할 인생의 짐이 있는데, 그것은 댁이 지고 가야 할 짐인 것 같다고.

사람과 사람이 만나다 보면 속내를 어느 정도는 보여야 하지만, 상대가 묻지도 않은 자신의 집안의 시시콜콜한 이야기는 어지간하면 안 했으면 좋겠다. 우리의 뇌는 희열을 느낄 때 가장 행복해한다. 그리고 더욱더 자극적인 희열을 갈망한다.

그러므로 우리의 뇌는 불행한 것을 참기 힘들어한다. 나쁜 이야기를 계속 듣게 되면 우울해지는 것이 그 때문이다. 남의 자랑도 별로 듣고 싶어 하지 않는다. 오죽하면 사촌이 땅을 사면 배가 아프다는 말이 나왔겠는가. 사적인 모임에서 묻지도 않았는데 유난히 자신의 집안 얘기를 많이 하는 사람이 있는데 그것은 상대에 대한 예의가 아니다.

답습

　건강할 때도 먹지 않았던 콩밥을 나이 들어 먹으려니 고역도 이런 고역이 없다. 이제부터는 먹기 싫어도 먹어야 한다. 검은콩이 탈모와 갱년기 여성에게 좋다고 한다. 정말 좋은 것인지는 알 수 없지만, 아침부터 콩밥을 해 먹으려고 하니 입안에서 뱅뱅 돌기만 한다. 예전에 쌀이 귀해서 잡곡밥을 먹는 집이 많았다. 오죽했으면 사람들이 싸우다가 툭하면 그랬다.

　"너, 콩밥 먹고 싶냐? 당신 그러다 콩밥 먹을 줄 알아! 콩밥을 좀 먹어봐야 정신을 차리겠구면."

　이렇게 콩밥의 의미가 좋은 의미가 아니고 무서운 의미였다. 콩밥은 나쁜 짓을 하다가 감옥에 갇혀 벌을 받는 사람들이 먹는 밥이라는 인식이 있어 우리들은 콩밥을 무서워했고, 잘 먹지 않았다.

요즘은 쌀보다 잡곡이 더 비싸다. 제일 흔한 것이 쌀이라고 한다. 그래서 요즘은 교도소에서도 콩밥 대신 하얀 쌀밥을 먹는지 콩밥의 의미도 바뀌었다. 가끔 드라마에서 보면 건달 역을 맡은 사람들이 그런다.

"나라 밥 좀 먹고 왔지. 저는 나라 밥 먹는 사람입니다."

교도소에서 콩밥을 안 주고 쌀밥을 줘서 시대에 따라 그렇게 의미가 바뀌지 않았나 뭐 그런 생각. 쌀이 귀하던 시절에는 할아버지와 아버지 밥에만 올라갔다. 할아버지가 밥을 조금 남겨주시면 우리들은 한 숟가락씩 먹으며 쌀밥 냄새에 환장했다. 그 귀한 흰쌀밥이 이젠 천덕꾸러기라니 한마디로 격세지감이다.

어쨌든 콩밥을 이젠 교도소가 아닌 일반인인 우리들이 먹는다. 일명 건강 밥상이라는 이름으로. 청춘일 때는 돌멩이를 씹어 먹어도 소화가 잘 되었는데 이젠 조금만 먹어도 속이 부대끼고 괴롭다. 특히 콩밥은 더 그렇다. 콩밥을 먹은 날에는 가스가 나온다. 생리적인 현상이라 어쩔 수 없다지만 민망하고 부끄럽다. 집에서 새는 바가지 밖에서도 샐까 봐 약속이 있는 날에는 콩밥과 콩자반을 먹지 않는다.

예전엔 어른들이 시도 때도 없이 방귀를 붕붕 뀌는 것을 보면 이해가 안 갔다. 어린 우리에겐 이래라저래라 훈계를 하면서 정작 어른인 자신들은 그렇지 못했기 때문이다. 나이가 들면 모두 그렇게 예의도 없고, 부끄럼도 없고, 막살아도 되는 줄 알았는데 그게 아니었다.

고상하게 살고 싶어도 노화된 몸이 거부를 하는 것이다. 몸의 모든 기능이 마음대로 움직이지 않으니 고상하고 우아한 것은 물 건너간 것이다. 그러니 자신의 의지와는 상관없이 민망하게 생리적인 현상들을 제재하지 못하는 것이다.

하여간 난 이제부터 이 콩밥을 죽을 때까지 먹을 것 같다는 불길한 예감이 든다. 어지간하면 안 먹고 싶다. 잘 넘어가지도 않지만 속이 더부룩하고 가스가 자꾸만 나와 민망하다. 나이가 들어도 우아하고 고상하게 늙어가고 싶은데 조상님들이 가는 길을 그대로 답습하는 것 같다.

다섯.

혼자 떠나는 여행

혼자
떠나는
여행

그 노래

생살을 에이는 듯한 엄동설한에 어둠이 산자락의 마지막 남은 빛을 쓸어갔다. 빛이 사라진 자리에 어둠은 시커먼 입을 벌리고 순식간에 모든 사물을 먹어 치웠다. 모두가 숨죽이고 엎드려 있는 시간에 아내를 잃은 한 남자가 차가운 밤공기를 가르며 구슬프게 노래를 부르고 있다. 그의 노랫소리는 너무도 애절하고 사무쳐 듣는 이들의 가슴을 먹먹하게 했고, 북풍한설도 가던 길을 잠시 멈춰 섰다.

"산에산에 꽃이 피네. 들에들에 꽃이 피네. 봄이 오면 새가 울면 님이 잠든 무덤가에 너는 다시 피련마는 님은 어이 못 오시는고. 산유화야산유화야 너를 잡고 내가 운다. 으 흑흑, 어찌 이럴 수 있단 말이오."

그는 그렇게 남인수의 '산유화'를 목이 터져라 부르고 또 부르며 울었다. 멀리 개 짖는 소리만 컹컹 들릴 뿐 밤은 더욱 깊어 갔다. 그의 흐느끼는 소리는 어둠 속으로 멀리멀리 퍼져 갔다. 동네 사람들은 그러려니 했다.

"하이고, 저양반 또 시작이구먼. 또 시작이여. 워째야 쓴당가? 쯧쯧."

"그라게 맨날 저라고 먹지도 못한 술을 마시고 밤이나 낮이나 노래를 불러 싼 게 아그들 불쌍혀서 어쩐당가? 아그들 밥이나 지대루 혀 줄랑가 모르겄소?"

"젊은 양반이 안 되긴 안 되었어라? 쪼꼬만 자슥들만 다섯이나 남겨두고 마누라가 저세상으로 가부렀으니 지정신이 겄소?"

동네 사람들은 그렇게 그의 노랫소리를 들으며 한 마디씩 하고 잠들었다. 밤새 자장가처럼 들리던 노랫소리가 조용한 시간은 새벽녘이다. 그 시간은 그가 지쳐서 잠이 든 시간이므로 오직 닭만이 홰를 치고 있었다.

영원히 계속될 것만 같았던 밤이 지나고 아침이 되었는데도 그는 일어나지 않았다. 아이들은 모두 겁을 먹고 혹시나 밤에 그가 죽었을까 봐 울상을 하고 지키고 있다. 아궁이에 불을 지핀 지도 오래되어 방은 냉골이고, 끼니도 거른 지 한참 되었다.

오후가 되자 그는 겨우 일어나 또다시 술을 사러 나갔다. 하루아침에 행색이 말이 아니었다. 씻는 것은 고사하고, 셔츠는 찢어져 맨살이 훤하게 보이고, 때가 묻어 꼬질꼬질했다. 면도는 언제 했는지 수염이 덥수룩하게 자라 얼굴을 덮고 있었다. 겨울인데도 옷을 제대로 갖추어 입지 않아 온몸이 얼어 동상에 걸린 것처럼 벌겋다.

빛이 휴식을 위해 조금씩 자리를 옮겨갈 때 그는 아이들과 함께 눈이 하얗게 쌓인 산길을 걸어 어느 무덤가에 섰다. 얼마 전 병으로 자신의 곁을 떠나버린 젊고 아름다운 아내를 잊지 못하고 날마다 술에 취해 아내의 무덤을 찾는다. 그리운 아내가 잠들어 있는 무덤 앞에 앉아 손으로 눈을 쓸어내리며 또 그 노래를 부른다.

"산에산에 꽃이 지네. 들에들에 꽃이 지네. 꽃은 지면 피련마는 내 마음은 언제 피나 가는 봄이 무심하랴 지는 꽃이 무심하더냐. 산유화야산유화야 너를 잡고 내가 운다. 나보고 어쩌라고 이 어린것들을 어쩌라고…으 흑흑."

그는 그렇게 온몸에 물이 다 말라버릴 때까지 아이들을 끌어안고 울고 또 울었다. 아내를 잃은 슬픔이 너무 커서 자식들 챙길 여력도 없이 정신 줄을 놓고 있었다. 사람이 생을 다

하면 '지수화풍'으로 돌아간다는 진리를 그 누구보다 잘 알면서도 질긴 인연의 끈을 놓지 못하고 힘든 나날을 보냈다.

슬픔이 너무 지나쳐도, 분노가 너무 과해도, 기쁨이 너무 넘쳐도, 사람들은 정신 줄을 놓는다고 한다. 아마도 방심하여 심신 미약에서 오는 현상이 아닌가 싶다. 꽃이 피고 지고 몇 해를 반복해도 오직 그의 시간만 멈추어 있었다. 평생을 그렇게 아내를 그리워하며 애창가인 그 노래를 부르며 과거속에 살다 갔다.

가족

가족이란 징글징글해서 갖다 버린 것도 가족이고, 갖다 버린 가족을 다시 주워오는 것도 가족이라고 한다. 결국 가족은 갖다 버리지도 못하고, 품지도 못하는 것이 가족이라면, 가족은 모순덩어리가 아닌가 싶다.

최광현 '가족의 두 얼굴'을 보면 '그립고 보고 싶지만 만나고 싶지 않은 것도 가족이라고 한다. 또한 세상에 화목한 가족도 없고, 화목한 가족이 있다면 그 가족 중에 누군가는 참고 견디며 희생을 했기 때문에 화목한 가족이 유지가 되었다'는 것이다. 맞는 말이다. 어느 가족이나 가족 중에는 희생양이 있기 마련이다.

세상엔 화목한 가족도 많지만, 하루가 다르게 싸우는 가족도 많다. 그렇게 싸워대는 가족을 불교에서 '업장'이라 한다. 전생에 지는 업장에 따라 가족으로 만나 서로가 죽을 때까지 으르렁거리고 싸운다는 것이다. 멀리 떨어져 있으면 서로가 만나지 못하니까 가족으로 태어난다고 한다. 무섭고 끔찍한 말이다. 현생도 살기가 힘든데 기억도 없는 전생의 죄까지 받으며 살아야 한다는 것은 나약한 인간에겐 너무나 가혹한 형벌이다.

어쨌든 어느 집이든 세밀하게 들여다보면 가족 중에 사고뭉치인 가족과 잉여인간이 있다. 그리고 그런 가족 중에는 꼭 희생양도 있다. 그 희생양은 본인이 좀 참으면 되겠지 하지만, 정작 본인의 영혼은 외롭고 피폐해진다. 나중에는 그것이 화병이 되는데 우리나라 사람들이 화병이 많은 이유도 이중에 하나가 아닌가 생각한다.

가족이라는 이름으로 가해지는 무관심과 의타심은 고쳐지지가 않기 때문이다. 물론 가족이 힘도 되고, 짐도 되지만, 가족도 한 집에서 서로 부대끼며 살지 않고, 외지에 나가 있거나 이미 분가한 가족들은 그 속내를 다 알지 못한다. 자신들의 이익을 위해 형제간에 분쟁도 불사한다.

그리고 인간이라는 동물은 절대로 자신의 내면 속의 본모습을 가족뿐만 아니라 배우자에게도 다 보여주지 않는다. 함께 살아도 문명의 혜택을 많이 받은 쪽이 경험이 풍부해 그렇지 못한 사람보다 약삭빠르고 셈이 빠른 것은 당연하다.

생각해 보건대 진정한 가족은 그냥 서로에게 도움은 못 되더라도 그저 자신의 자리에서 자신의 몫을 묵묵히 하며 최선을 다해 열심히 살아 주는 것이 진짜 가족이 아닌가 생각한다. 그렇게만 해준다면 든든하고 고맙고 감사할 것 같다. 가족에게 짐이 되거나 민폐를 끼치지 않고, 살아주는 것이 진정한 가족이 아닌가 싶다.

오빠 생각

하얀 매화꽃이 흐드러지게 피고 꽃잎들이 순풍을 따고 날리는 초봄. 연한 새싹들은 수줍게 고개를 조금씩 내밀고 태양 바라기를 하고 있다. 오빠 농장 옆에 개울물 소리가 잔잔하게 들린다. 송사리가 헤엄치고 파릇파릇 돌미나리가 돋아나 있다.

봄볕은 적당히 따뜻해 까만 밤을 하얗게 새운 몸은 노근해 몽환적 환상을 일으킨다. 만개한 매화 꽃잎이 눈처럼 날린다. 이렇게 미치도록 좋은 봄날에 오빠는 무엇이 그렇게 바빠 겨우 환갑을 넘기고 갔을까. 아무리 소풍 가기 좋은 날이라도 가족에게 인사도 없이 그리 급하게 갈 것은 없지 않은가. 영구차가 오빠의 손때가 묻은 농장에 도착하자 어디선가

"왔냐" 하는 오빠의 목소리가 들린다.

3살 차이인 오빠는 성격이 온화했다. 엄마가 일찍 떠나시고 오빠는 나에게 아빠였고, 엄마였고, 친구였고, 보호자였다. 까칠한 누이동생에게 오빠 소리도 제대로 못 듣고 푸대접을 받으면서도 온갖 투정과 떼를 다 받아줬고, 영원히 변하지 않은 부하 노릇을 자처했다.

누이동생 때문에 아무리 힘들고 화가 나는 일이 있어도 혼자 울고 말지, 때리거나 구박하는 일은 없었다. 어딜 가나 상항 내 곁에는 오빠가 있었다. 언젠가 내가 물었다. "오빠는 내가 어렸을 때 그렇게 못살게 구는데도 왜 한 대도 때리지 않았냐"고. 말수가 적은 오빠는 딱 한마디 했다. "때릴 때가 어딨다고 보기만 해도 아까운데 동생을 때리느냐"고.

난 늘 오빠와 놀았다. 팽이치기, 연날리기, 구슬치기, 자치기, 딱지치기를 하며 오빠 친구들과 남자들이 하는 놀이를 했다. 내 성격이 남자 같은 것은 오빠의 영향이 크다. 오빠가 하는 것은 무엇이든 따라 했기 때문이다.

처음에 6남매였다. 엄마가 아파 젖을 얻어먹지 못해 둘째 남동생이 아기 때 가고, 5남매가 되었다. 그중 셋째인 나는 위로 언니 오빠와 밑으로 남동생 여동생이 있다. 오방 중에 중앙이라 동, 서, 남, 북이 튼튼하게 지키고 있어 무서울 것이 없었다. 덩치가 큰 아이들한테 겁 없이 덤볐던 것도 언니 오빠가 뒤에서 버티고 있었기 때문이다. 이젠 그 한쪽이 무너져 내려 쓰나미보다 더한 것이 밀려오는 것 같다.

몸은 떨어져 있어도 마음은 함께해 언제든 얼굴을 볼 수 있었는데 이제는 아니다. 오빠의 부고를 받고 꿈을 꾸고 있는 것 같고, 숨이 콱콱 막혀 질식할 것 같았다. 남의 죽음을 보는 것도 마음 아픈데, 가족의 죽음은 언제나 큰 고통과 슬픔을 남긴다. 살면서 피하고 싶지만 피할 수가 없다.

오빠의 몸이 한 줌의 재가 되어 작은 항아리 속에 들어가 있다. 이제는 누이동생의 떼를 받아주지 않아도 되니 안심하고 떠난 것은 아닌지. 정신적 지주인 오빠가 이 세상에 없다는 현실이 믿어지지 않아 억장이 무너지고 고통스러워 눈물이 멈추지 않는데, 이놈의 봄날은 장례식 내내 더럽게도 좋다. 매화 꽃잎 따라 봄 소풍 떠난 오빠, 부디 엄마 아빠 만나 편히 잠들기를….

지나간 시간에 기대어

마음이란 놈은 천연덕스럽게 잘 있다가도 가끔씩 알 수가 없다. 어느 날은 청명한 가을 하늘처럼 맑다가도, 또 어느 날은 죽상을 하고 있다. 그런가 하면 기분이 좋아 콧노래를 부르기도 하고, 갑자기 천둥과 번개가 치기도 하며, 시커먼 먹구름이 몰려와 암흑세계가 되기도 한다. 한마디로 변덕이 죽 끓듯 한다.

어쨌든 오늘은 이 마음이란 놈을 들여다보기로 했다. 삼엄하게 경계를 친 벽을 허물고 마음의 방에 들어가려니 방어기제가 발동한다. '너 저 문은 절대로 열면 안 돼!' 이렇게 계속 쫓아다니며 앞을 막아선다. 난 문 앞에서 망설이다 '괜찮아, 괜찮아'를 반복하며 어렵게 문을 열었다.

아무것도 보이지 않은 컴컴한 방구석에 얽히고설킴들 사이로 누군가 혼자 울고 있다. 희미하게 보이는 것이 소녀 같다. 난 울고 있는 소녀를 꼭 안아주고 토닥토닥해줬다. 어른이든 아이든 울고 있을 때는 그 어떤 말로도 위로가 안 된다. 그저 울음이 멈출 때까지 옆에서 기다려 주고 안아주는 것이 최선의 방법이다. 한참을 울던 소녀는 눈물을 멈추고 고개를 들었다.

심리학을 보면 상처가 많은 사람은 속이 단단할 것 같지만 그렇지도 않다고 한다. 오히려 더 쉽게 상처 받고 아파한다고 한다. 바닷가 돌멩이는 거센 파도에 깎이고 깎여 반질반질해지는데, 사람의 마음은 바닷가 돌멩이처럼 되지는 않는 것 같다.

때론 마음도 사물들을 정리하듯 정리 정돈이 필요한데 정리를 하지 않고 적당히 뭉쳐서 처박아 놓으면 어느 구석 인지도 모르게 가끔 따끔거리고 쿡쿡 찌르며 아프다. 녀석들을 하나하나 꺼내 이야기를 들어주고 쓰다듬어주면 되는데, 그것을 아직도 잘 못하는 것은 그때 그 마음과 대면하기가 껄끄럽거나 아직도 상처가 아물지 않아서 그런 것은 아닌지.

누구나 마주하기 싫은 진실 하나쯤은 가슴속에 품고 살겠지만, 그것들을 너무 오래 처박아 두면 이자가 붙어 기억이 왜곡된다. 기억이란 것은 과거의 경험이 순간순간 끊임없이 현재의 삶에 방향을 제시하기도 하지만, 반대로 삶을 잠식하고 침범하는 아주 나쁜 침략군일 수도 있다.

가끔은 이 침략군을 꺼내서 현실을 제대로 알려주고 각인시켜야 한다. 몸만 크고 마음은 크지 못하면 언제든지 이 침략군에 의해 영혼 전체를 점령당할 수 있다. 그렇게 되지 않도록 마음이란 놈을 잘 달래고 관리해야 한다.

우리들 모두는 지나간 시간에 기대서 추억을 먹고살지만, 그렇다고 아직 오지도 않을 미래를 걱정할 필요도 없고, 또한 과거에 묶여 현실을 불행하게 살 필요는 더 더욱 없다. 지금 이 순간에 집중하고 감사하며 사는 것이다. 오늘 아침에 찬란하게 떠오른 태양을 내일 아침에도 볼 수 있다는 보장이 없기 때문이다.

터널

장마로 곳곳에 작은 웅덩이들과 함께 빗방울에 튕겨진 자 갈들이 길가에 널브러져 있다. 희뿌연 연무들이 모였다 사 라지기를 반복하며 안경에 성에가 서려 사물의 경계를 방해 한다.

일 년 만에 가보는 연주암 가는 길을 착잡한 마음으로 올 려다봤다. 작년 봄엔 꽃향기를 맡으며 돌계단을 밟고 가벼운 마음으로 올라갔는데, 오늘은 아니다. 케이블카를 타고 올라 가는 관악산은 안개에 덮여 하얀 면사포를 쓴 신부처럼 다소 곳하다. 우뚝 솟은 바위들은 안갯속에서 호위병처럼 서 있다 가 불쑥불쑥 얼굴을 내민다.

연주대 가는 길엔 연분홍 싸리 꽃과 이름 모를 화려한 버섯들도 보인다. 물을 잔뜩 머금은 나뭇잎들이 지나갈 때마다 머리 위로 물방울을 뿌리며 장난을 쳤다. 즐거운 마음으로 찾은 곳이 아니기에 물방울의 장난에도 슬프고 아팠다.

부처님께 촛불을 켜놓고 인사도 없이 가버린 사랑하는 가족의 극락왕생을 진심으로 빌었다. 긴 터널에 갇혀있는 현실을 탈출하고자 하는 또 다른 나의 내면의 이기적인 발악 인지도 모르겠다. 나약하고 보잘것없는 내가 할 수 있는 것이라고는 이것밖에 없기 때문에 최선을 다해 염원을 담아 빌고 또 빌었다.

점심공양을 마치고 걸어서 내려왔다. 작년 봄엔 옥보다 맑은 물이 계곡을 따라 졸졸 흐르며 연주암을 다녀간 사람들의 뒷이야기를 전해주었는데, 지금은 장마로 인해 많은 물이 콸콸콸 힘차게 흘러 앞을 다투며 고향인 바다를 향해 달려간다.

여름날의 습도는 하늘을 찌를 기세로 제압해 뱀의 혀처럼 날름거렸다. 끈적거림은 온몸을 휘감고 돌아 달라붙어 거머리처럼 떨어지지 않았다. 맑은 계곡물에 손수건을 적셔 닦아내 보지만 그때뿐이다.

어깨는 너무 아프고 온몸은 누군가에게 두들겨 맞은 것처럼 쑤시고 아파 밤새 끙끙 앓았다. 부처님께 올린 촛불의 염원이 닿았을까? 꿈속에 환한 빛이 나타나 밤새 아픈 어깨에 머물러 있었다. 그래서일까. 신기하게도 아침에 눈을 뜨니 그렇게 쑤시고 아팠던 어깨가 더 이상 아프지 않았다. 죽을 만큼 외롭고 춥고 너무 아파도, 이제는 이 캄캄하고 음습한 터널을 걸어서 나가야 할 것 같다.

혼자 떠나는 여행

불행인지 다행인지는 알 수 없지만, 한순간에 모든 상황이 변했다. 현역에서도 물러나 일을 하지 않아도 되고, 가족을 위해 밥상을 차리지 않아도 된다. 더는 가족을 위해 봉사하지 않아도 되는 시간이 찾아왔다. 나 자신이 원하지도 않았는데 어느새 쓸쓸한 빈 둥지가 된 것이다.

빈 둥지 증후군을 겪지 않으려면 눈물 나는 노력이 필요했다. 그저 내 몸 하나만 잘 건사하면 되는데 그게 그렇게 쉽지가 않다. 모든 것을 면죄 받고도 기쁘기는커녕 갑자기 넘쳐나는 시간을 어떻게 감당해야 할지 몰라 당혹스럽다. 일과 가사를 병행하며 정신없이 보냈던 지난날을 생각하면 내가 정말 아무것도 하지 않고 놀아도 되는 것인지, 불안하고 초조

해 서서히 공황상태가 되어갔다.

철저히 규칙적인 생활을 했기에 몸에 밴 습관은 쉽게 바뀌지 않아 많이 힘들었다. 이대로 있으면 사회에서 뒤처지고 잉여인간이 될 것 같았다. 평생 일만 해서 노는 법을 배우지 못한 죄로 놀면서도 제대로 노는 법을 몰라 이것저것 쉬지 않고 움직이며 신세를 들들 볶았다.

맥없이 시간 죽이기를 하기에는 살아온 날들이 살아갈 날들보다 얼마 남지 않았다. 나에게 주어진 시간을 어떻게 하면 알차게 보낼 수 있을까. 심각한 딜레마에 빠졌다. 이럴 줄 알았으면 진작 혼자 노는 법을 배워두는 것인데 후회막급이다.

그동안 못했던 것들을 배우며 누군가에게 기대어 위로를 받고 시간을 보내면 모든 것이 순리대로 흘러갈 텐데 현실은 녹록하지가 않다. 더군다나 팬데믹 시대에 가족과 친구들의 만남도 쉽지가 않다. 그저 모든 것을 혼자 감당해야만 한다.

결국 남겨진 여백을 채우기 위한 것은 나를 비워나가는 연습과 겸손을 배우는 일이었다. 그것들을 실행하기 위해서는 용기와 노력이 필요했다. 결국 내가 선택한 것은 혼자 떠나는 여행이었다. 예전에는 혼자 여행하는 것이 무섭고 겁났다. 타지에서 무슨 일이 생기면 어쩌나 하는 불안감 때문이었다.

그런데 바람처럼 물처럼 걸리는 게 없어 이것도 습관이 되니 괜찮았다. 누군가와 함께 여행 계획을 세우다 보면 당일 날 급한 약속이 생길 수도 있고, 컨디션이 나빠 여행 가기가 불편할 때도 있었다. 그러나 혼자서 여행을 하니 그런 불편함이 없다. 상대에 대한 배려와 소통의 의무를 가지지 않아도 되고, 오직 나 자신에게 집중하며 여행지에서 보고 듣고 느낀 것들을 사색하면 되었다. 그리고 그날그날 컨디션에 따라 움직이니 편했다.

여행 중에 느낀 것들을 기억 회로에 저장한다. 더 이상 움직이지 못하는 순간이 오면 그것들을 꺼내 기록하기 위해서다. 여행을 마치고 제자리로 돌아왔을 때는 마음은 편했지만 몸이 항상 녹초인 것이 문제였다. 점점 장거리 운전이 힘들었다. 오다가 휴게소에 차를 대놓고 차 안에서 잠을 자고 올 때도 있다. 모든 것은 때가 있어, 여행은 마음이 뛸 때 가는 것이 아니고, 몸이 건강할 때 가는 것이 맞다.

오늘도 나는 습관처럼 아침에 일어나자마자 기지개를 켜고 물 한잔을 마신 다음 일기예보부터 확인한다. 집 가까운 곳에서부터 전국 날씨를 확인한다. 날씨가 좋으면 오늘은 또 어디로 떠날 것인지를 결정하기 위해 수집해놓은 자료를 보며 머릿속에서 빠르게 데이터를 분석한다.

데이터 분석이 끝나면 떠남을 결정하고 빠르게 움직인다. 아침으로 간단히 우유와 바나나를 먹고, 세수를 하고 몸을 정리한다. 편한 옷으로 갈아입고, 냉동실 안에서 순서를 기다리고 있는 쑥 개떡 하나와 과일을 꺼내 물과 함께 가방을 챙긴다.

혹여, 짓궂은 신이 장난을 칠지도 모르는 시간에 대한 것도 준비한다. 다시는 집으로 돌아오지 못하는 순간을 위해 나가기 전에 집안을 깔끔하게 정리한다. 창문과 가스는 안전한지, 청소는 되었는지, 쓰레기는 비웠는지, 설거지는 했는지, 화초에 물을 충분히 주었는지, 마지막으로 나의 흔적을 지우는데 필요한 유서도 잘 보이는데 두었는지 확인한다. 점검이 끝나면 가벼운 마음으로 차 키를 들고 현관문을 나선다.

내 인생의 잔고

어느 날 난 두문불출하고 한 달 동안 집안 정리를 시작했다. 이 집과 함께 들어왔던 소파와 장롱, 화장대와 서랍장, 책장을 모두 다 버렸다. 사물도 오래되니 사람처럼 낡고 삐걱거리며 자연분해가 된다. 폐기물 업자를 불러 모두를 실어 보내고 나니 집이 텅텅 비어 빈집이 되었다.

피아노는 302호가 가져갔다. 필요한 사람 가져가라고 게시판에 사진과 함께 메모지를 붙여 놓았더니 금방 전화가 왔다. 아이가 있는 집이라 아깝지 않았다. 고맙다고 수박 한 통을 사 가지고 와서 얼씨구나 하고 가져갔다.

빈집이 된 집은 방마다 먼지가 장난이 아니다. 집하고 몸은 깨끗해야 한다고 깔끔이를 떨며 강조했는데 집안 구석구석은 20년 가까이 먼지들이 차지하고 있다. 낡은 물건들을 내보내고 일주일 내내 청소를 하니 속이 다 시원했다.

방마다 도배를 하려고 알아보다가 그만두었다. 팬데믹 시대에 집안에 낯선 사람을 들이는 것이 내키지 않았다. 하는 수 없이 셀프 도배를 하기로 했다. 요즘은 시트벽지가 잘 나와 있어 어렵지 않았다. 천장은 불가하니 천장과 가장 비슷한 색을 사서 하루에 벽면 하나씩을 발랐다. 노가다는 쉽지 않았다. 처음으로 해보는 막일이라 몸살이 나서 며칠씩 누워 있기도 했다. 보이는 벽면은 말끔해도 보이지 않은 벽면은 헌 옷을 꿰맨 것 같다.

미니멀 라이프Minimal Life로 살다 가기 위해 꼭 필요한 물건만 사고, 소파와 화장대는 미니로 바꾸었다. 한 사람이 살다가 생을 마감하면 남겨진 쓰레기가 너무 많다. 천년만년 살 것도 아니고, 갈 때 가져가지도 못하는 물건들을 우리는 너무나 많은 것을 소유하고 있지는 않은지. 법정스님 말씀처럼 어지간하면 남은 생은 무소유로 살다 가고 싶다. 무소유란 아무것도 갖지 않는 것이 아니고, 불필요한 것을 갖지 않는 것이다.

사물은 사용하던 주인이 떠나면 갈 곳이 없다. 모든 것이 풍요로운 시대에 새로운 주인을 찾기는 힘들고, 모두 쓰레기장으로 간다. 내 인생의 잔고가 살아온 날들보다 살아갈 날들이 적으니 몸과 마음이 건강하고, 정신이 맑을 때 하나하나 정리하는 것이 맞다. 이제는 그럴 시간이 된 것이다.

　방 하나를 완전히 비워 방석 하나만 놓고 명상하며 기도하는 방으로 쓰고 싶었는데 그러지 못했다. 그렇게 많은 짐을 버렸는데도 아직도 많다. 쌓여있는 물건들을 보면서 인간의 탐욕과 욕심이 얼마나 끝이 없는지 실감했다.

　지식에 대한 목마름 때문에 책에 대해 욕심도 많아 무진장 쌓아 놓은 오래된 책들도 미련 없이 다 버렸다. 집이 다이어트를 하니 여백이 많아 좋다. 텅 빈 거실을 보니 여기다 탁구대를 놓고 탁구나 쳤으면 좋겠다는 생각이 든다.

　휴대폰도 오랜만에 다이어트를 했다. 몇 년 동안 소식이 없거나 연락하지 않은 전화번호도 모두 지웠다. 내가 이 세상을 떠났을 때 작별 인사를 받아야 할 사람들 것만 남겨놓았다. 나는 남의 전화번호를 잘 저장하지 않는 버릇이 있다. 그것은 무슨 일이 생겼을 때 친분이 깊지 않은 사람들과 시절인연이 끝난 이들에게까지 민폐를 끼치고 싶지 않아서다.

　오늘도 난 또 정리할 것이 없는지 집안을 살핀다. 이 물건은 꼭 필요한 것인지 몇 번씩 나에게 물어보고 만지작거린다. 그리고 다시 물건을 살 일이 생기면 일주일을 고민해 본다.

그것이 꼭 필요한 물건인지, 아니면 잠시의 불편을 참지 못해 사는 것인지를 확인하기 위해서다.

잘 살았구나

가끔씩 친구한테서 전화가 온다. 무슨 일 있느냐고 물으면 그냥 했다고 한다. 나도 그 친구처럼 가끔 전화를 한다. 그녀가 무슨 일 있느냐고 물으면 그냥 했다고 한다. 세상에서 가장 편한 사이가 용건 없이 통화하는 사이인데 우린 그런 사이다.

지금까지 살면서 나는 아는 사람은 많아도 친구가 많지가 않다. 일하기 바빠서 친구들 모임에 나가지 못했고, 그럴 여유도 없었다. 이 친구와는 청춘을 함께 보냈다. 서로에 대해 말하지 않아도 속내를 다 안다. 가끔은 의견이 맞지 않아 작은 다툼도 있지만, 오래가지 못한다. 좀 지나고 나면 서로 피식 웃고 만다. 오랫동안 만나지 못해도 변함이 없다.

그녀에게는 좀 특별한 것이 있다. 누구보다도 식복이 많다는 것이다. 사계절 내내 지인들이 각지에서 먹을 것을 박스로 보내준다. 김장은 물론이고, 쌀이며 각종 반찬과 양념까지 보낸다.

그것들을 다 처리하지 못하면 이웃에게 나누어 주고, 가끔 내 차례도 온다. 올해는 각지에서 고구마를 5박스나 보내왔다고 한다. 너무 많아 이웃에게 나누어 주었다고. 한 친구가 그녀의 이야기를 한참 동안 듣고 있다가 나지막하게 말했다.

"넌 참 인생을 잘 살았구나!"

난 그 말을 듣는 순간 크게 웃고 말았다. 명답이기 때문이다. 정말 그 친구는 인생을 잘 산 것 같다. 형제도 하기 어려운 일인데. 누군가 먹을 것을 꾸준히 보내준다는 것은 고마운 일이다. 상대에 대한 애정이 없이는 실행하기 어렵다. 그게 한두 번은 가능해도 매년은 힘들다. 그런데 그녀에게 매년 각지에서 지인들이 변함없이 농산물을 보내온다.

그 사람이 어떤 인생을 살았는지 알고 싶으면, 그 사람의 노년의 삶을 보면 알 수 있다고 했다. 노년의 삶이 외롭지 않고, 풍요롭고 편안하면 인생을 잘 살았다는 증거다. 아직은 인생을 다 산 것은 아니지만, 그래도 그 정도면 괜찮은 인생이다.

하얀 웃음

평온했던 가정이 하루아침에 깨지고, 외줄을 타듯 버겁게 하루하루를 버티는 한 여인이 있었다. 그녀는 하루 일과를 마치고 잠자리에 들 때면 신께 간절하게 너무도 간절하게 기도를 했다.

"제발 아침에 눈뜨지 않게 해달라고, 제발 이대로 죽게 해달라고…"

그녀의 소원은 오직 그 하나뿐이었다. 현실이 너무나 고달프고 힘들어 자살할 용기도 없어 아침에 눈뜨지 않게 해달라는 것이 전부였다. 그런데 신은 그녀의 소원을 들어주지 않았다. 그녀의 소원을 들어주기에는 두 아들이 너무나 어렸기 때문이다.

시간은 그렇게 흘러갔고, 그녀도 체념하며 삶의 무게를 견디고 있다. 그런 그녀를 가끔씩 만나 이야기를 들어주는 것이 다였다. 오늘도 그녀를 만나 격조했던 시간들을 풀어놓았다. 고만고만하던 어린 아들들은 벌써 커서 큰아들은 대학생, 작은아들은 국방의 의무 중이다. 예전보다 얼굴이 좋아 보였지만 그래도 여전히 피로에 찌들어 있다. 요즘은 어떻게 지내느냐는 상투적인 질문에 그녀는 한마디로 '세상이 무채색이'라 한다.

갑작스런 사고로 남편을 보내고 두 아들을 홀로 키우며 살아야 했던 그녀의 고단함이 느껴진다. 아이들이 자라서 여유를 가질 만도 한데 여전히 세상이 무채색이라고 말하는 그녀의 말이 자꾸만 목에 걸린다. 무채색은 말 그대로 색감은 없고 빛과 어둠만 있고, 더 나아가 삶의 희망이 없다는 뜻이기도 하다. 또한 세상에 대한 원망도 내포되어있다.

50대의 주부들은 대개 젊어서 남편 뒷바라지와 자식 키우느라고 자신을 잊고 살다가 자아를 찾아 밖으로 나간다고 하지만, 그것도 여유 있는 집의 이야기다. 지금도 그녀처럼 산업현장에서 가족의 생계를 위해 정신없이 일하며 언제 잘릴지도 모르는 불확실한 미래 속에 불안한 하루하루를 보내는 여성들이 많다. 어쩌면 그녀들은 친구와의 수다도 사치일 수 있다.

 가장이 없는 가정은 어머니의 역할이 클 수밖에 없다. 경제적인 책임도 져야 하고, 아이들도 돌봐야 한다. 이처럼 이중고의 고통이 따르기 때문에 어머니의 성격은 양성의 반응을 보인다. 그녀의 성격도 많이 변했다. 어느 집이나 남편이 부재한 가정에서 아이들을 키운다는 것은 힘겨운 일이다.

 손이 많이 가는 아이들은 어리광 한번 제대로 부리지 못하고 애어른이 된다. 언제나 엄마의 고단한 삶을 옆에서 지켜보기 때문에 일찍 철이 든다. 그녀의 아이들도 일찍 철이 들어 자신들의 일은 알아서 척척 한다. 공부도 잘해 장학금도 받는다.

 이제는 좀 웃고 사는 것이 어떠냐고 했더니 그녀는 아직도 백지보다 더 하얀 웃음을 웃는다. 아이들 키울 때는 애들 생각에 제정신이 아니어서 잘 몰랐는데 이젠 몸이 여기저기 아파 만사가 귀찮단다. 산다는 것이 무엇인지 어떻게 살아야 잘 사는 것인지 알 수 없지만, 오늘도 그녀의 하얀 웃음이 허공에 부딪쳐 부서진다.

바람이
전하는
말